まちごとチャイナ
山東省005

煙台
ブドウ酒と「海市蜃楼」求めて
［モノクロノートブック版］

山東半島北岸に位置し、青島に次ぐこの省で第2の港町の煙台。煙台という地名は、1398年、海岸部を荒らす倭寇対策の「狼煙墩台」が建てられたことに由来する。冬は暖かく、夏はすずしい温暖湿潤の気候から住みやすく、ブドウや桃などのフルーツの産地(また葡萄酒城)として知られる。

長らくこの地方の中心地は、煙台北西65㎞の登州(蓬莱)にあり、日本の遣隋使や初期遣唐使がここに降り立つなど、遼東半島、朝鮮半島、日本との窓口となっていた。近代に入り、1856年のアロー戦争(第2次アヘン戦争)の結果、登州

よりも港湾環境に優れた煙台が1861年に開港されるにいたった。

華北でもっとも早い開港地となった煙台には、イギリス、フランス、アメリカ、デンマーク、日本などの領事館がならび、今もそれらの近代建築が残っている。一方、秦の始皇帝（紀元前259～前210年）が三度訪れるなど、古くから神仙崇拝のさかんな土地で、渤海湾に見える蜃気楼（三神山）の名所でもある。20世紀後半以来、煙台では対外開放と開発が進められ、現在は山東省を代表する経済都市となっている。

天天都在养生

まちごとチャイナ　山東省005

煙台

ブドウ酒と「海市蜃楼」求めて

Asia City Guide Production
Shandong 005

Yantai

烟台／yān tái／イェンタァイ

「アジア城市(まち)案内」制作委員会
まちごとパブリッシング

まちごとチャイナ
山東省 005
煙台

Contents

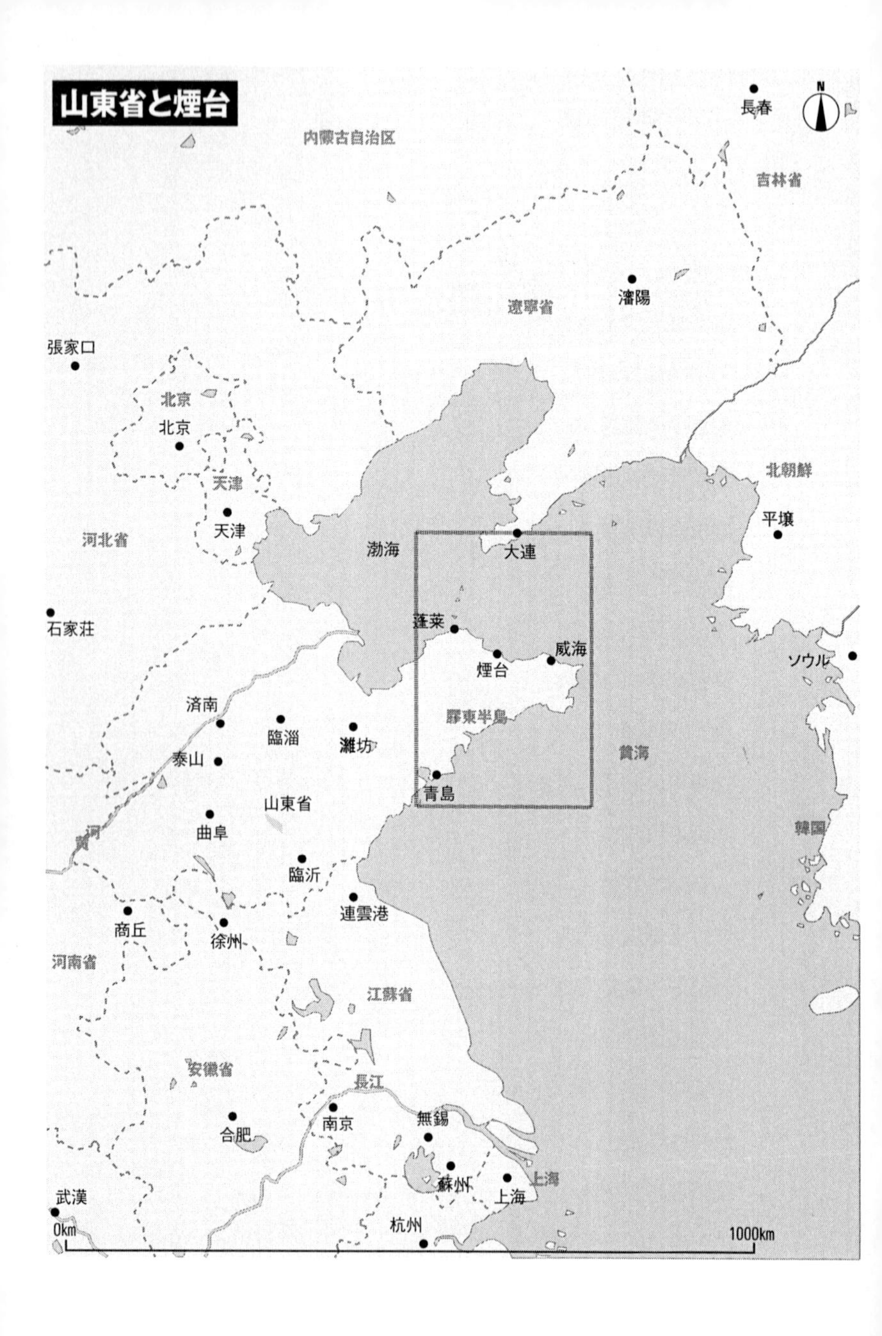

山東省と煙台
長春
内蒙古自治区
吉林省
瀋陽
遼寧省
張家口
北京
北京
北朝鮮
天津
天津
平壌
河北省
渤海
大連
石家荘
蓬莱
威海
ソウル
煙台
済南
臨淄
濰坊
膠東半島
泰山
黄海
青島
山東省
曲阜
韓国
黄河
臨沂
連雲港
商丘
徐州
河南省
江蘇省
安徽省
長江
無錫
南京
合肥
蘇州
上海
上海
武漢
杭州
0km
1000km

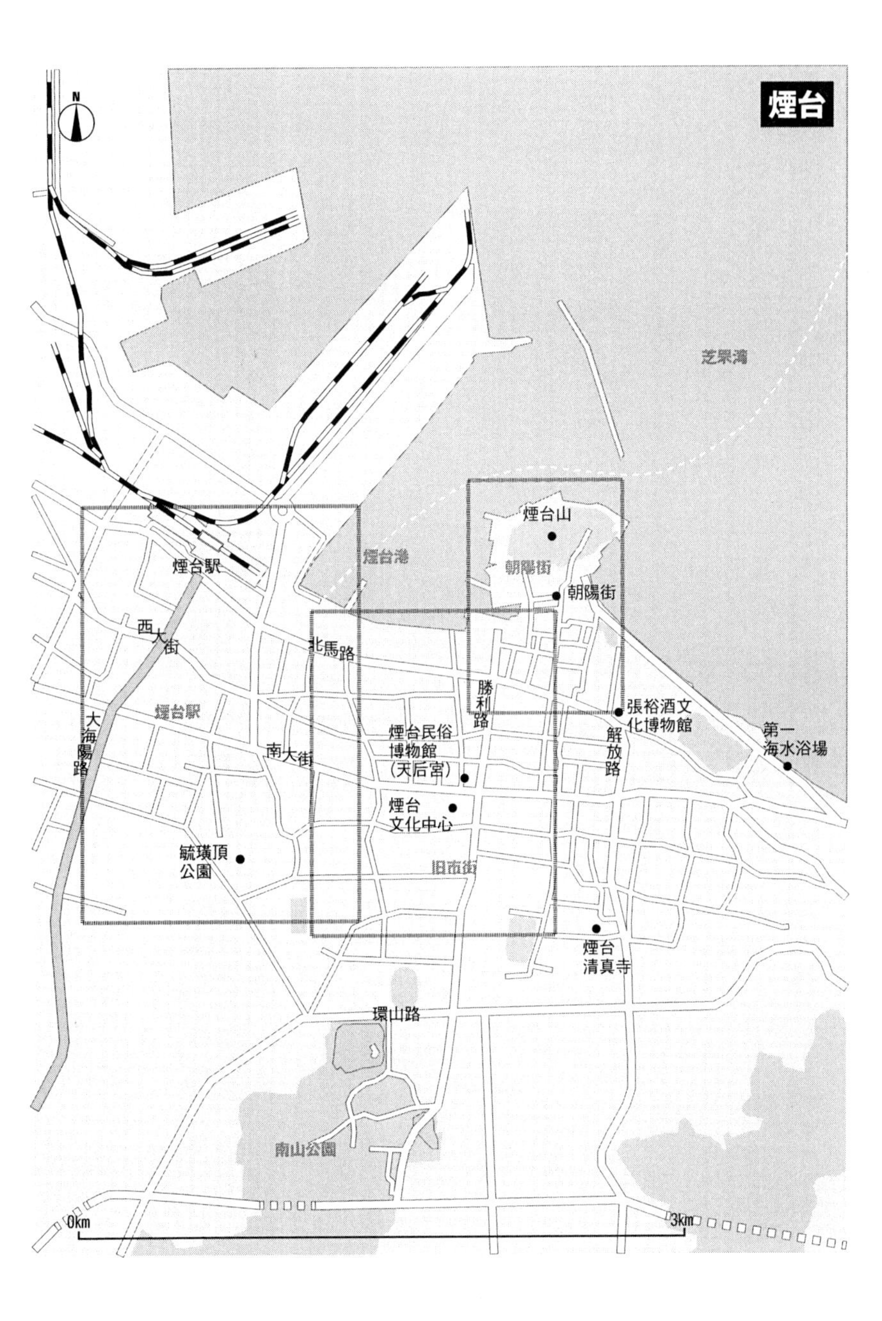
煙台
芝罘湾
煙台山
朝陽街
朝陽街
煙台港
煙台駅
西大街
北馬路
勝利路
張裕酒文化博物館
解放路
第一海水浴場
煙台駅
大海陽路
南大街
煙台民俗博物館（天后宮）
煙台文化中心
毓璜頂公園
旧市街
煙台清真寺
環山路
南山公園
0km
3km

★★★

朝陽街／朝阳街 チャオヤンジエ

煙台山／烟台山 イェンタァイシャン

張裕酒文化博物館／张裕酒文化博物馆 チャンユウジィウウェンフゥアボオウウグゥアン

煙台民俗博物館（天后宮）／烟台民俗博物馆 イェンタァイミィンスウボオウウグゥアン

★★☆

第一海水浴場／第一海水浴场 ディイイハイシュイユウチャァン

南大街／南大街 ナァンダアジィエ

毓璜頂公園／毓璜顶公园 ユウファンディンゴォンユゥエン

★☆☆

煙台文化中心／烟台文化中心 イェンタァイウェンフゥアチョンシィン

煙台清真寺／烟台清真寺 イェンタァイチィンチェンスウ

西大街／西大街 シイダアジエ

煙台駅／烟台站 イェンタァイヂィアン

南山公園／南山公园 ナァンシャンゴォンユゥエン

Introduction

蜃気楼立つ渤海海岸へ

渤海と黄海が交わる山東半島の北岸部
小野妹子が第一歩を記した
日出ずる場所でもある

登州（蓬莱）・煙台・威海

渤海の、山東半島北岸と遼東半島がもっとも接近する地に、煙台市（蓬莱）と大連市（旅順）が位置し、両者のあいだを廟島群島が点在している。また古代、煙台東65㎞の威海付近に眠らない街のようなにぎわいを見せた「不夜城」があったという。こうした地の利もあって、煙台市（かつての登州、現在の蓬莱）には、春秋時代に中国五大港、隋唐時代には華北最大の港がおかれていた。日本や朝鮮の使節は、広い意味での煙台市を中国側の玄関口とし、渤海を往来する人びとの姿があった。明代に入り、倭寇が跳梁すると、1376年、登州（蓬莱）に蓬莱水城が築かれ、1398年、煙台には狼煙台と奇山所がもうけられた。アロー戦争後の1858年の天津条約では、登州が開港地となったが、条約文が拡大解釈され、より有利な港湾環境をもつ煙台が開港された（このとき登州の繁栄は、煙台へと遷った）。また1888年、威海には北洋艦隊の根拠地がおかれ、1894〜95年の日清戦争の舞台となった。

神仙世界への入口

「渤海には、蓬莱、方丈、瀛洲の三神山がそびえ、仙人が暮らし、不老不死の薬がある」「遠くはないが、近づくとたちまち水中に没するか、強風が吹いて船が流され、これまでにたどり着いた者はいない」。山東半島の北岸では、方士たちの活動がさかんで、戦国時代の斉の威王や宣王、燕の昭王たちもそれを求めた。また始皇帝(紀元前259～前210年)は、東方の三神山に向かって徐福を派遣したが、結局、不老不死の薬を得ることはできなかった。この三神山は、冷たい海水上の空気に、暖かい空気が風に吹かれて載ったとき、空気が曲がる屈折によって起こる「蜃気楼」だとされる。また煙台北に浮かぶ芝罘島は、古くから八仙をまつる聖地で、始皇帝は紀元前219年の第2回巡幸、前218年の第3回巡幸、前210年の第5回巡幸の三度、この地を訪れ、刻石を残している。泰山南の曲阜で生まれた儒教に対して、北側のこちらは神仙思想、道教の本場で、山東省が生んだ宗教二大潮流のひとつを育んだ。

煙台という地名

中国沿岸部に跳梁する倭寇対策のため、明の朱元璋は、1384年に山東省、江蘇省、浙江省の海岸沿いに59の城を築き、1390年には沿海の衛所と巡検司に二隻の軍船を備えさせた。こうしたなかの1398年、芝罘島近くの海に突き出した半島状の丘陵にも、倭寇の襲来を知らせる「狼煙墩台(のろし台)」が建てられた(その南側に軍人たちの暮らす奇山所がもうけられた)。これが煙台のはじまりで、当初は西12㎞の福山県城の管轄下にあった。中国全体からしてみれば、煙台は辺境の防衛地帯であり、寒村に過ぎなかったが、1856年のアロー戦争後の天津条約で、この地の港湾環境が西欧に注目されて開港された。条約の文言に芝罘島の「芝罘」が使われたことから、西欧人には「芝罘(チーフー)」の名前で知られ、中国人は「狼煙墩台(のろし台)」に由来する「煙台」という名前で呼んだ。

朝陽街一帯には近代に建てられた石づくりの西欧風建築がならぶ

朝陽街と海岸街の交差する絶好の位置に立つ克利顿飯店

灯台の立つ煙台山はこの街発祥の場所

朝陽街は開港したばかりの煙台で随一の繁華街だった

煙台の構成

かつては島であった芝罘島(煙台の北西9km)が暴風雨を防ぐ壁となり、天然の良港をつくる煙台港。近代になって開港すると、煙台港に突き出した半島状の煙台山に西欧の領事館がならんだ。その周囲の埠頭には、商社、銀行などが進出し、当時の建築は今も残る。煙台山の南側に、旧市街(奇山所)があり、ここが明代以来の中国人居住地であった(煙台民俗博物館こと天后宮のあるあたり)。また20世紀なかごろ、旧市街西側に煙台駅が整備され、その界隈が新市街となっている。市街南側の丘陵地がこれら市街を扇のように取り囲み、山裾から北の海岸へ流れるいくつもの河筋を利用して道路がつくられた(大海陽路は海陽河、青年路は召秦河というように、西南河路、解放路もかつては河川だった)。

Zhao Yang Jie

朝陽街城市案内

煙台山へまっすぐ伸びる朝陽街
あたりの海岸街、海関街もあわせて
老埠頭のたたずまいを見せる

朝陽街／朝阳街★★★

zhāo yáng jiē

ちょうようがい／チャオヤンジエ

1861年の煙台開港後、煙台随一の繁華街だった朝陽街。煙台山へ続く朝陽街の建設は、1872年にはじまり、南の北馬路から北の海岸街までの400mに銭荘や商社、商業店舗がならんだ。1880〜1910年に、央皿司洋行、順昌商行、克利頓飯店が建てられ、1910〜1930年に、五金商行、順泰商行、中興商行、宝時造鐘廠などが店舗を構えた（また1930〜49年に西欧諸国が煙台山に領事館を建てた）。これら朝陽街の近代建築は、外観は西欧様式、内部は中国様式で、現在も石づくり、2階建ての当時のたたずまいを見せる。また上海や大連と違って、煙台では都市計画のはっきりとしないまま街が拡大していき、路地の入り組む雑多な街並みが続く（道路は舗装されず、下水道の整備もままならなかった）。この朝陽街の近代建築に、現在、バーやレストランなどが入居し、商業、食、娯楽の中心地となっている。

海岸街／海岸街★★☆

hăi àn jiē

かいがんがい／ハァイアァンジエ

煙台山の南側を東西に走り、朝陽街とちょうど垂直に交

朝陽街
N
煙台山
灯塔
煙台山
東海関総
監察長官
邸旧址
煙台山
入口
芝罘倶楽
部旧址
茂記
洋行
海岸街
克利頓
飯店
海岸路
海関街
東太平街
朝陽街
阜民街
朝陽街
宝時
造鐘廠
解放路
北馬路
煙台市街
張裕
酒文化
博物館
0m
500m

わる海岸街。華北で最初に開港された煙台の埠頭部にあたり、銀行および銭荘、商社、両替商、郵便局などの店舗がならび、当時はビーチロードと呼ばれていた(メキシコ銀と英ポンド、銀塊など、異なる通貨の取引が行なわれた)。克利頓飯店、茂記洋行、芝罘倶楽部はじめ、美しいレンガづくりの近代建築が残る。

芝罘倶楽部旧址／芝罘倶乐部旧址★☆☆

zhī fú jù lè bù jiù zhǐ

ちーふーくらぶきゅうし／チイフウジュウラアブウジィウチイ

海岸街の東端に残る芝罘倶楽部旧址。煙台が開港してすぐの1865年に建てられ、のちの1906年に再建された。煙台に暮らす外国人が集まる「Chefoo Club」として知られ、毎週のように映画会が開かれ、3、400人が参加したという。

海関街／海关街★☆☆

hǎi guān jiē

かいかんがい／ハァイグゥアンジエ

煙台山の西側の太平湾は船舶投錨する港となっていて、そのすぐそばに海関があった。海関街の名前はここに由来し、貿易の窓口となる港におかれた海関では、そこを通る商品に税をかけた(煙台は渤海の不凍港。大型船は煙台港から離れて投錨し、そこから物資は小型船で運ばれた)。開港直後の1865年に海関公署が建てられ、1870年代には海関街、朝陽街、海岸街と

★★★

朝陽街／朝阳街 チャオヤンジエ

煙台山／烟台山 イェンタァイシャン

張裕酒文化博物館／张裕酒文化博物馆 チャンユウジィウウェンフウアボオウウグゥアン

★★☆

海岸街／海岸街 ハァイアァンジエ

★☆☆

芝罘倶楽部旧址／芝罘倶乐部旧址 チイフウジュウラアブウジィウチイ

海関街／海关街 ハァイグゥアンジエ

東海関総監察長官邸旧址／东海关总监察长官邸旧址 ドォンハイグゥアンゾォンジィアンチャアチャァングゥアンディジィウチイ

煙台山灯塔／烟台山灯塔 イェンタァイシャンダァンタア

いった煙台の埠頭の景観ができあがった。

二楼
观赏石·玉器·瓷器·古家俱·书画
洗浴

Yan Tai Shan

煙台山鑑賞案内

ドイツの植民都市青島が建設されるまで
煙台は山東省で唯一の開港地だった
煙台山は西欧諸国が拠点を構えたところ

煙台山／烟台山★★★

yān tái shān

えんたいさん／イェンタァイシャン

煙台山は、渤海に突き出し、三面を海に囲まれた半島状の丘陵。明代の1398年、倭寇襲来を告げる「烽火台(煙台)」が建てられたことから、煙台山と名づけられ、それが街名にもなった。近代に入り、1858年の天津条約を受けて、1861年に煙台の開港が決まると、イギリス、アメリカ、ドイツ、デンマーク、日本などがこの煙台山に拠点を構えた。17もの各国領事館がならび、気象観測所や清朝末期以来の灯台も立っていた。この煙台山は海抜42.5mで、全山が緑におおわれ、山が海岸線にまでせまることから、「海洋島」とも呼ばれる。現在は煙台山公園として整備されている。

連合教堂旧址／联合教堂旧址★☆☆

lián hé jiào táng jiù zhǐ

れんごうきょうどうきゅうし／リィエンハアジィアオタァンジィウチイ

煙台に暮らす西欧人が礼拝に訪れた連合教堂旧址(キリスト教会)。イギリス人によって建てられ、頂部には十字架を載せる。煙台山下東嶺事路に位置する。

煙台山
N
芝罘湾
ドイツ領事
館遺址
デンマーク領事
館旧址
惹浪亭
日本領事館
旧址
煙台山
灯塔
龍王廟
烽火台
煙台山
日本領事館
宿舎旧址
抗日烈士
紀念碑
古楽樹
イギリス
領事館旧址
東海関総監察長
官邸旧址
東海関副税務司
官邸旧址
連合教
堂旧址
アメリカ
領事館旧址
煙台山
入口
芝罘倶楽
部旧址
朝陽街
朝陽街
海岸街
海岸路
克利頓
飯店
0m
300m

アメリカ領事館旧址／美国驻烟台领事馆旧址★☆☆

měi guó zhù yān tái lǐng shì guǎn jiù zhǐ

あめりかりょうじかんきゅうし／メェイグゥオチュウイェンタァイリィンシイグゥアンジィウチイ

アメリカは1863年に煙台に進出し、煙台山に領事館をおいた。煙台はアメリカ東洋艦隊の避暑地となっていたが、1941年に太平洋戦争がはじまると日本軍によって接収された。アメリカ領事館旧址は、二層からなるレンガづくりで、ヨーロッパ古典主義の様式をもつ。現在、煙台開埠陳列館として開館し、アロー戦争から煙台の開港、社会、歴史までを、図版を使って展示している。

東海関副税務司官邸旧址／东海关副税务司官邸旧址★☆☆

dōng hǎi guān fù shuì wù sī guān dǐ jiù zhǐ

とうかいかんふくぜいむしかんていきゅうし／ドォンハイグゥアンフウシュイウウシイグゥアンディジィウチイ

煙台の関税業務をになった官吏が政務をとった東海関副税務司官邸旧址。東海関は煙台にあって、関税や貿易事務を行ない、1862年より登莱青道が東海関も管轄した（煙台の開港

★★★

煙台山／烟台山 イェンタァイシャン

朝陽街／朝阳街 チャオヤンジエ

★★☆

海岸街／海岸街 ハァイアァンジエ

★☆☆

連合教堂旧址／联合教堂旧址 リィエンハアジィアオタァンジィウチイ

アメリカ領事館旧址／美国驻烟台领事馆旧址 メェイグゥオチュウイェンタァイリィンシイグゥアンジィウチイ

東海関副税務司官邸旧址／东海关副税务司官邸旧址 ドォンハイグゥアンフウシュイウウシイグゥアンディジィウチイ

イギリス領事館旧址／英国领事馆旧址 イングゥオリィンシイグゥアンジィウチイ

東海関総監察長官邸旧址／东海关总监察长官邸旧址 ドォンハイグゥアンゾォンジィアンチャアチャァングゥアンディジィウチイ

日本領事館旧址／日本领事馆旧址 リイベンリィンシイグゥアンジィウチイ

煙台山灯塔／烟台山灯塔 イェンタァイシャンダァンタア

抗日烈士紀念碑／抗日烈士纪念碑 カァンリイリィエシイジイニィエンベェイ

古欒樹／古栾树 グウルゥアンシュウ

烽火台／烽火台 フェンフゥオタァイ

龍王廟／龙王庙 ロォンワァンミィアオ

デンマーク領事館旧址／丹麦领事馆旧址 ダァンマァイリィンシイグゥアンジィウチイ

惹浪亭／惹浪亭 レエラァンティン

芝罘倶楽部旧址／芝罘俱乐部旧址 チイフウジュウラアブウジィウチイ

は1861年）。しかし、その後、業務の権限は実質的にイギリス、アメリカ、日本がにぎることになった。東海関副税務司官邸旧址は、1863年に建てられ、アーチ型のベランダをもつ。現在は煙台京劇芸術館として開館し、京劇の衣装や道具が展示されている。

イギリス領事館旧址／英国领事馆旧址★☆☆

yīng guó lǐng shì guǎn jiù zhǐ

いぎりすりょうじかんきゅうし／イングゥオリィンシイグゥアンジィウチイ

アヘン戦争（1840～42年）からアロー戦争（1856年）をへて清朝へ開港をせまり、各港に拠点を築いてきたイギリス。1861年に煙台が開港し、その後の1867年にイギリス領事館が建てられ、ここにいたる領事署路も整備された。1875年、このイギリス領事館につとめる書記生マーガリーが殺害されると、その収拾をはかるため、翌年、芝罘条約が結ばれた（イギリス人の自由渡航や税免除、その他の街の開港を認めた不平等条約）。現在は煙台老照片展館となっている。

東海関総監察長官邸旧址／东海关总监察长官邸旧址★☆☆

dōng hǎi guān zǒng jiān chá zhǎng guān dǐ jiù zhǐ

とうかいかんそうかんさつちょうかんていきゅうし／ドォンハイグゥアンゾォンジィアンチャアチャァングゥアンディジィウチイ

1861年の煙台開港を受けて、清朝は1862年に登莱青道の道台（中級地方官庁の長官）と、東海関を兼務させることとした。東海関総監察長官邸旧址は、その総監察長が政務をとった場所で、現在は冰心記念館として開館している。女性作家の冰心は、父親の謝葆璋が煙台の海軍学堂の校長であったことから、1903～11年の8年間を、煙台で過ごした。冰心は煙台を心の故郷だと述べ、冰心の原稿、著作、写真などが展示されている。

煙台京劇芸術館こと東海関副税務司官邸旧址

緑におおわれた煙台山は西欧の田舎を思わせる

高さ49.5mの煙台山灯塔

日本領事館旧址／日本领事馆旧址★☆☆

rì běn lǐng shì guǎn jiù zhǐ

にほんりょうじかんきゅうし／リイベンリィンシイグゥアンジィウチイ

煙台山の西側に残る日本領事館旧址。日本は煙台が開港されてから14年後の1875年に領事館を設立した。日本と煙台を結ぶ航路があり、日系企業もこの街に進出して「芝罘」の名前で親しまれていた。日本領事館旧址の南側には、領事館で働く日本人が居住した「宿舎旧址」も残る。

日本と煙台

1861年、華北で最初に煙台が開港すると、1886年に高橋商事、1887年に三井物産が進出するなど、煙台埠頭では日系企業の姿も見えた。1889年ごろから日本郵船と大阪商船が日本～煙台航路を開通させ、1898年に青島がドイツに租借されるまで、煙台は山東進出の拠点となっていた（三井物産は、石炭や朝鮮人参をあつかったほか、その他商品の貿易、保険業務を行なった）。やがて膠済鉄道で済南と結ばれるなど、青島の地の利が煙台に勝るようになると、煙台の地位は低下し、1909年、日系の横浜正金銀行も青島に移動した。

煙台山灯塔／烟台山灯塔★☆☆

yān tái shān dēng tǎ

えんたいさんとうとう／イェンタァイシャンダァンタア

煙台山頂部に立つ高さ49.5mの煙台山灯塔。もともとここは倭寇（海賊）を監視する場所だったが、煙台開港後の1905年にイギリス人が灯台を建てた（煙台港に入港する船舶のために信号を送った）。そのときの灯台は1980年代に撤去されたが、1988年に12階からなる現在の煙台山灯塔が建てられた。この灯台の灯りは30海里届くとされ、展望台からは360度見渡せる。

抗日烈士紀念碑／抗日烈士纪念碑★☆☆

kàng rì liè shì jì niàn bēi

こうにちれっしきねんひ／カァンリイリィエシイジイニィエンベェイ

1945年に日中戦争が終わると、煙台は同年の8月24日に解放された。この抗日烈士紀念碑は、1946年に建てられ、高さ8m、乳白色の花崗岩製となっている。朱文字で「民族英雄名垂千古」と刻まれ、その背後に共産党軍89人の名前が記されている。

古栾樹／古栾树★☆☆

gǔ luán shù

こらんじゅ／グウルゥアンシュウ

明代、煙台防衛にあたった兵士ゆかりの古栾樹。煙台の守備軍のなかに、南方出身の兵士がいて、いつも故郷のほうを見ては涙を流していた。その様子を見た小鳥が、兵士の故郷から栾樹（南方の樹木）の種子を運んできて、煙台山で芽吹いた。以来、この栾樹は「思郷樹」と言われ、樹齢は600年を超す。

烽火台／烽火台★☆☆

fēng huǒ tái

ほうかだい／フェンフゥオタァイ

明代の1398年、倭寇の被害を防ぐために、烽火台（のろし台）を建てたことからはじまった煙台の街。煙台とは「狼煙墩台」を略したもの。現在の烽火台は、明代に煙台山にあった烽火台をもとに、後の時代に再建したもの。

狼煙とは

「狼煙（のろし）」という言葉は、狼のふんを燃やした煙がもっともまっすぐあがり、それが信号、伝達に利用されたことに由来する。煙をあげて遠い場所に知らせる狼煙（烽火）

煙台山の一角にそびえる抗日烈士紀念碑

東海をおさめる龍王をまつった龍王廟

こちらは東海関総監察長官邸旧址(冰心記念館)

は、古代において最速の伝達手段で、非常警報の役割を果たした。とくに旗や狼煙を使った合図は、文字を必要とせず、辺境の防衛拠点で使われた。少しでも遠くから見えるよう、土壇(烽火台)を築き、そのうえで狼煙をあげた。明代、狼煙があがっているのを知らずに、上陸した倭寇が返り討ちにされることもしばしばだったという。また古代中国の西周で、それまで笑ったことのない褒姒(幽王の后)は、幽王が狼煙をあげて諸侯を集めたときに笑ったという逸話がある。褒姒の笑顔を見るため、敵襲でもないのに狼煙をあげ続け、実際に外敵が攻めてきたときに信用されず、西周はあえなく滅びた。

龍王廟／龙王庙★☆☆

lóng wáng miào

りゅうおうびょう／ロォンワァンミィアオ

龍王廟は煙台山に現存する最古の建築で、明(1368～1644年)末に建てられた。当時、煙台では日照りが続いたことから、龍王をまつって祈雨を行なった。そうすると大雨が降り、以来、海龍王の日に廟会が行なわれるようになったという。また1856年のアロー戦争で、フランス軍が煙台山を占領したとき、ここ龍王廟に司令部をおいた。

デンマーク領事館旧址／丹麦领事馆旧址★☆☆

dān mài lĭng shì guǎn jiù zhĭ

でんまーくりょうじかんきゅうし／ダァンマァイリィンシイグゥアンジィウチイ

1867年にデンマークは煙台にはじめて領事館をおき、三層からなるこのデンマーク領事館旧址は1890年に建てられた。茶色の花崗岩の貼られた西欧の古城のようなたたずまいをしていて、海をのぞむように立つ(デンマークは近代の世界大戦では中立の立場をとった)。デンマーク領事館の東側にあったドイツ領事館は火災で消失した。

惹浪亭／惹浪亭★☆☆

rě làng tíng

じゃくろうてい／レエラァンティン

煙台山の北東端、海に面した岩礁のうえに立つ惹浪亭。明代の1673年にここから「海市蜃楼（蜃気楼）」が見えたという記録が残る。緑の屋根瓦を載せる小ぶりな建物だが、惹浪亭から望む日の出は、この街を代表する光景のひとつとなっている。

Lao Ma Tou

煙台埠頭城市案内

1861年、華北で最初の開港地となった煙台
西欧人の到来、キリスト教、西欧のライフスタイル
近代、煙台埠頭は文明の十字路でもあった

浜海北路／濱海北路★☆☆

bīn hǎi běi lù

ひんかいほくろ／ビィンハイベイルウ

煙台山から芝罘湾に沿って東に伸びる浜海北路（1861年に整備された海岸路が拡張された）。渤海（黄海）の水平線が広がり、穏やかな波が打ち寄せ、心地よい風がふく。人びとの憩いの場となっていて、東の第一海水浴場、煙台桟橋まで続いていく。

アヘン戦争での開港

明清時代の中国は鎖国体制をとり、外国との貿易港は広州などに指定されていた。こうしたなか、1840～42年のアヘン戦争、1856年のアロー戦争（第二次アヘン戦争）をへて、香港島がイギリスに割譲され、上海や福州など五港が開港（南京条約）、続いて牛荘、天津、煙台（三口）が開港された（天津条約）。1842年の南京条約、1858年の天津条約、1860年の北京条約、1876年の芝罘条約というように結ばれていった不平等条約で、なし崩し的に、西欧による中国の半植民地化が進んだ。1861年、清朝は天津に弁理三口通商大臣をおき、華北の通商をとりしきったが、やがて直隷総督が西欧との交渉にあたるようになった。煙台をはじめとする開埠地では西

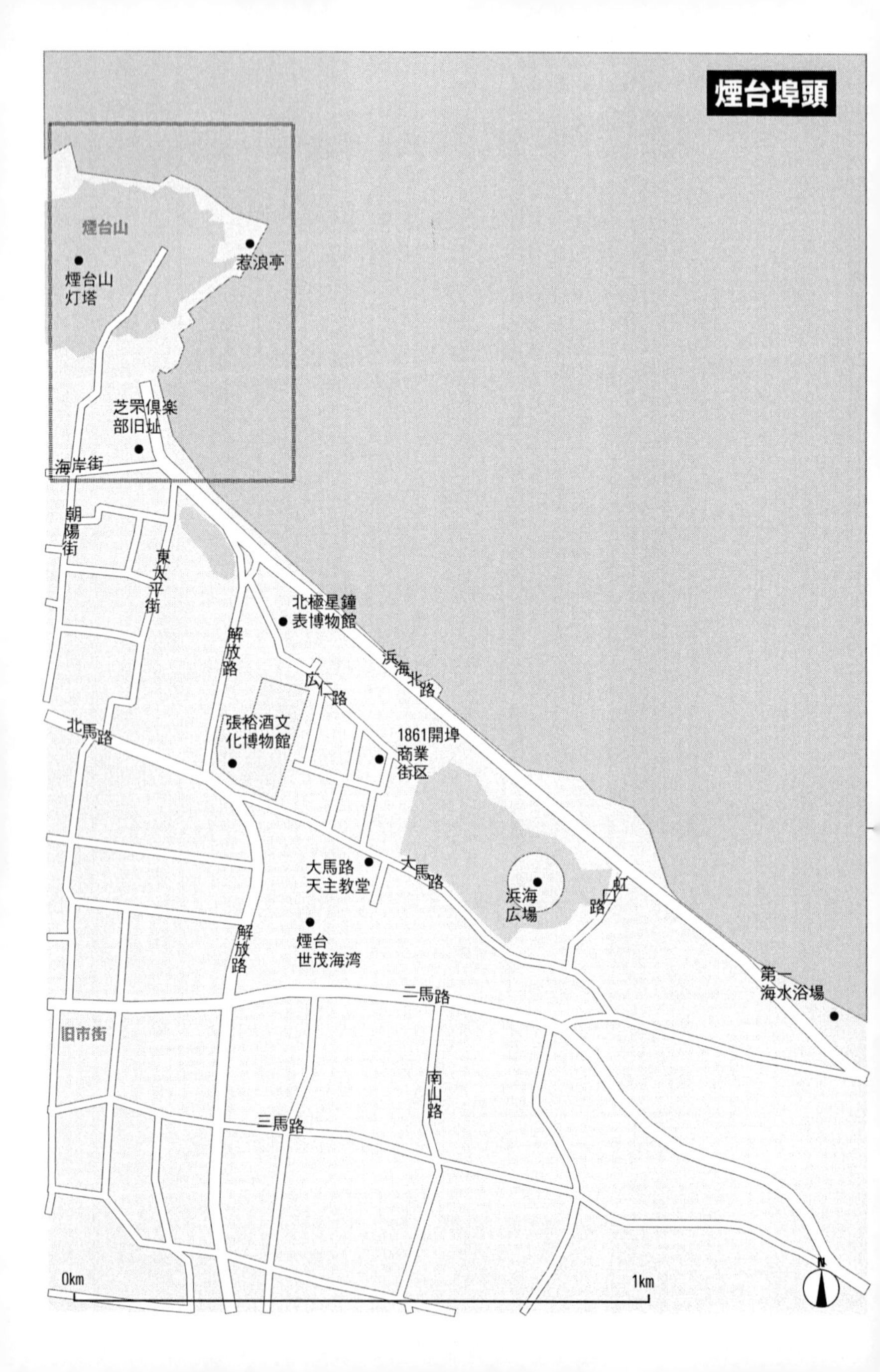
煙台埠頭
煙台山
煙台山
灯塔
惹浪亭
芝罘倶楽
部旧址
海岸街
朝
陽
街
東
太
平
街
北極星鐘
表博物館
解
放
路
浜
海
北
路
広
仁
路
北馬路
張裕酒文
化博物館
1861開埠
商業
街区
大馬路
天主教堂
大
馬
路
浜海
広場
虹
口
路
煙台
世茂海湾
解
放
路
第一
海水浴場
二馬路
旧市街
南
山
路
三馬路
0km
1km
N

欧人宣教師がキリスト教を布教し、西欧の領事館、商館が立つなど、その文化も流入することになった。中国側からは、絹、大豆、砂糖、煙草、羊毛が輸出され、綿花、アヘン、灯油、ガラス、小麦粉などが輸入された。

広仁路／广仁路★★☆

guǎng rén lù

こうじんろ／グゥアンレンルウ

広仁路は煙台の埠頭付近を、海岸線に並行して走る。煙台のもっとも古い通りのひとつで、清朝咸豊帝元年の1851年に整備され、近くの十字街、共和里ともに古い建物が残る（全長390m）。広仁路という名称は、この地にあった慈善団体の広仁堂にちなみ、二層からなる近代西欧建築がならぶ。1900年創建の中国でもっとも早い私立小学校「养正小学旧址」、1930年代の図書館「基督教青年会公共図書館旧址」はじめ、「法国薬材公司旧址」「新陸繍花荘旧址」「煙台繍花商行旧址」「広東旅煙同郷会旧址」などが残る。

★★★

張裕酒文化博物館／张裕酒文化博物馆 チャンユウジィウウェンフゥアボオウウグゥアン

朝陽街／朝阳街 チャオヤンジエ

煙台山／烟台山 イェンタァイシャン

★★☆

広仁路／广仁路 グゥアンレンルウ

第一海水浴場／第一海水浴场 ディイイハイシュイユウチャァン

海岸街／海岸街 ハァイアァンジエ

★☆☆

浜海北路／滨海北路 ビィンハイベイルウ

北極星鐘表文化博物館／北极星钟表文化博物馆 ベイジイシィンチョンビィアオウェンフゥアボオウウグゥアン

1861開埠商業街区／1861开埠商业街区 イイバアリィウイイカァイブウシャンイエジエチュウ

浜海広場／滨海广场 ビィンハイグゥアンチャァン

大馬路天主教堂／大马路天主教堂 ダアマアルウティエンチュウジィアオタァン

煙台世茂海湾／烟台世茂海湾 イェンタァイシイマァオハイワン

煙台山灯塔／烟台山灯塔 イェンタァイシャンダァンタア

芝罘倶楽部旧址／芝罘俱乐部旧址 チイフウジュウラアブウジィウチイ

蓋浪亭／蓋浪亭 レエラァンティン

北極星鐘表文化博物館／北极星钟表文化博物馆★☆☆

běi jí xīng zhōng biǎo wén huà bó wù guǎn

ほっきょくせいしょうひょうぶんかはくぶつかん／ベイジイシィンチョンビィアオウェンフゥアボオウウグゥアン

中国で最初の時計工場となった宝時鐘廠は、1915年、煙台で創業した。宝時鐘廠による北極星印の木製時計は、漆、銀象眼、彫刻などの伝統技術で制作され、1930年代には香港やシンガポール、東南アジアへ輸出されるほどだった。こうした経緯をふまえた煙台の北極星鐘表文化博物館では、柱時計、振り子時計、腕時計などさまざまな時計が見られるほか、日時計、銅壺滴漏などの時計も展示されている。

1861開埠商業街区／1861开埠商业街区★☆☆

yī bāl iù yī kāi bù shāng yè jiē qū

いちはちろくいちかいふしょうぎょうがいく／イイバアリィウイイカァイブウシャンイエジエチュウ

近代の煙台埠頭のたたずまいを残す一角に、新たに整備された1861開埠商業街区。全長800mあまりの通りに店舗がならぶ美食店街で、お酒やショッピングも楽しめる。

浜海広場／滨海广场★☆☆

bīn hǎi guǎng chǎng

ひんかいひろば／ビィンハイグゥアンチャァン

2004年に整備された芝罘湾にのぞむ浜海広場。西側に広仁路、南側に大馬路、東側に虹口路が走り、円形広場を中心としたウォーターフロントとなっている。

第一海水浴場／第一海水浴场★★☆

dì yī hǎi shuǐ yù chǎng

だいいちかいすいよくじょう／ディイイハイシュイユウチャァン

煙台山より東海岸が続き、美しい白砂で知られる第一海水浴場。穏やかな気候、やわらかい砂、波の清浄さ、などから煙台を代表する観光地にあげられる。街がつくられた当初から避暑地としても知られ、夏にはパラソルがならぶ(奇岩も

埠頭地区には2階建ての西欧風建築がずらりとならぶ

張裕酒文化博物館の内部、現在では観光地化されている

ブドウを醸成してつくられる赤ワインと白ワイン

膠州半島南の青島のビール、それに対して北の煙台のワイン

張裕酒文化博物館の内部、現在では観光地化されている

浜海広場界隈の様子、高層ビル群も見える

点々とする)。

大馬路天主教堂／大马路天主教堂★☆☆

dà mǎ lù tiān zhǔ jiào táng

だいまろてんしゅきょうどう／ダアマアルウティエンチュウジィアオタァン

1861年の煙台開港にあわせて、キリスト教宣教師が煙台にも訪れるようになった。煙台におけるキリスト教布教は、1858年からはじまったと言われ、煙台山の南麓に煙台天主堂が立っていた。この大馬路に残る天主教堂は、1906年の竣工で、こじんまりとした石づくりの建物となっている(大馬路は、1860年に整備された)。

煙台世茂海湾／烟台世茂海湾★☆☆

yān tái shì mào hǎi wān

じゅせいこう／イェンタァイシイマァオハイワン

浜海景区の南側には高層ビルが林立し、なかでも煙台世茂海湾は、煙台の新たなランドマークとなっている。高さ323mの62階建ての主楼と、その周囲のそれぞれ180m(54階)、186m(56階)、195m(59階)の4座からなる。ビジネス・オフィス、高級ホテル、住宅などが入居する。

張裕酒文化博物館／张裕酒文化博物馆★★★

zhāng yù jiǔ wén huà bó wù guǎn

ちょうゆうしゅぶんかはくぶつかん／チャンユウジィウウェンフゥアボオウウグゥアン

東南アジア華僑の張弼士(1841～1916年)が、1892年に設立した中国最初のワイン工場を前身とする張裕酒文化博物館。張弼士は300万両銀を出して「張裕醸酒公司」を設立し、煙台郊外の南山に広大なブドウ栽培園をつくった。そのブドウをもとに、煙台の工場では絞葡萄機、圧搾機、蒸留機、殺菌機、濾酒機、洗瓶機、装酒機を用意し、規模、設備ともにフランスのものとも遜色がない最高峰のワイン工場となっていた。「正甜紅」「桜甜紅」「鮮百納」「紅玫瑰」といった赤ワイン、「大宛香」「白玫瑰」「佐談経」「雷司令」といった白ワイン、「高月白蘭地」というブランドのブランデーなどがつくられた。ポートワイン、コニャックなど、ここから上海はじめ、香港、広州、天津、北京、南京に輸出され、「張裕のワイン」は広く知られていた。現在は張裕酒文化博物館として開館し、「酒文化広場」「酒文化展庁」「歴史庁」「地下大酒窖」などからなる。この張裕のワインとほぼ同時期に、山東半島の南側で青島ビールが設立されている。

張弼士とは

張弼士(1841〜1916年)は、1841年、広東省大埔の寒村に生まれ、18歳のときに南洋に渡って、シンガポール華僑となった。近代化が進むなかで、ブドウ栽培とワイン醸造の将来性に注目し、実業(葡萄酒づくり)で国を振興するという情熱にかけた。張弼士は、山東省、河北省、遼寧省といった中国各地のブドウを栽培し、また煙台近くのブドウを醸造していたが、当初はよい出来ではなかった。その後、アメリカよりブドウの苗を輸入したものの失敗し、オーストリア人バロン・バーボーを招聘し、同国産の苗を移植して改良を重ねたことで品質があがっていった。こうして20年あまりの月日をかけて樽詰めしたワインを、1914年に市場に出品すると、その味が評判を呼び、1915年のパナマ太平洋万博で金メダルをとるほどになった。翌1916年、張弼士がインドネシアで病没したことで、財政面で苦戦することもあったが、1949〜1989年には山東省の人民政府が資金を投資し、工場の敷地も拡大された。

ブドウの栽培に適した土地

北緯37度に位置し、おだやかな気候、果実の栽培に適した土壌などから、ブドウ栽培が盛んな煙台。とくに煙台郊外の南山中腹は、フランスのボルドーのようにブドウ栽培に最適な場所だとされる。南山のブドウ園のうち、西方にあるものを西園、東方にあるものを東園と呼んだ(1927年に康有為が煙台を訪れたとき、張裕の東山ブドウ園にやってきて、「深傾張裕葡萄酒、移植豊台芍薬花」という詩をつくっている)。ワインは長期間保存して熟成させ、温度が12度、湿度が75%ぐらいの、暗く、振動の少ない場所がよいという。

人類が手にした最古の酒ワイン

ワインは、ラテン語のヴィヌムvinum(ブドウを発酵したもの)を語源とする。ブドウ栽培は紀元前5000年ごろはじまり、多汁質のブドウ汁を原料とするワインは、人類が醸造した最初のお酒だと考えられる。古代バビロニアのブドウ酒づくりはエジプトやギリシャに伝わり、ローマ帝国の拡大にともなって西ヨーロッパに広まった。とくに肉食を好む西欧人の味覚とあい、赤ワインがキリスト教の宗教的行事に使われたことから、西欧人にゆかりの深い飲みものとなった。17世紀になってガラス瓶やコルクが発明され、現在のかたちに近づいた。中国では張騫(～紀元前114年)がシルクロードへおもむいたとき、大宛からもち帰ってきたという記録が残り、ササン朝ペルシャの影響を受けた唐代の長安ではブドウ酒が好まれたという。中国のワイン文化は、その後、途絶えたが、近代になって再び、飲まれるようになった。

Jiu Cheng

旧市街城市案内

煙台山南側に点在した漁村
ここに明代以来、奇山所(旧城)が構えられ
いわば煙台の旧市街にあたった

南大街/南大街★★☆

nán dà jiē

みなみだいがい/ナァンダアジィエ

煙台の東西を結ぶ大動脈で、「煙台第一街」と呼ばれる南大街。南大街という名前は、清朝末期、人びとの集まる市が立った大廟の南側に整備されたことに由来する。現在では、高層ビル、銀行、映画館、レストランなどの店舗が集まり、煙台有数のにぎわいを見せる。

煙台民俗博物館(天后宮)/烟台民俗博物馆★★★

yān tái mín sú bó wù guǎn

えんたいみんぞくはくぶつかん(てんごうきゅう)/イェンタァイミィンスウボオウウグゥアン

煙台旧市街(奇山所)の港側にあたる北門近くに位置した天后宮(煙台民俗博物館)。1861年に煙台が開港されると、商機と見た福建商人が進出し、1906年、資金を出しあって、南方との往来にあたっての「海の守り神」となる天后をまつる福建会館を建てた(会館とは、同郷の人たちが集まって情報を共有したり、便宜をはかりあった互助組織)。1884年に建設がはじまり、福建省泉州で職人がつくった部材を船に載せ、2000kmの海路をへて煙台に運ばれた。完成までに22年の月日を要し、華北にありながら、閩南の風格をそなえた「江北天后第一宮(魯東第一工程)」と呼ばれる。福建商人の信仰する天后(福建の土地神

旧市街
煙台港
海関街
北馬路
朝陽街
朝陽街
北大街
大廟
桃花街
西南河路
面市街
勝利路
煙台市政府旧址
市府街
旧市街
栄泰街
煙台民俗博物館(天后宮)
向善街
南大街
北門里大街
煙台博物館
煙台文化中心
毓璜頂東路
毓璜頂公園へ
旧奇山所
万達広場
錦華街
N
0km
1km

の媽祖、華北では娘娘）はじめ、龍王、財神、純陽呂祖神がまつられていて、天后行宮ともいう。1985年に煙台民俗博物館として開館した。

天后宮の構成

　赤の周壁に緑の屋根瓦がふかれた天后宮は、煙台港（北側）のほうに向かって立つ。入口にあたる「山門」からなかに入ると、海神娘々の誕生日に演劇が演じられる「戯台」、その奥に屋根のうえに2匹の龍が載り、天后がまつられている「大殿（天后聖母殿）」と続く。鮮やかな木彫り、石彫や木の組みかたは福建省（閩南）の技術が使われ、民間伝承や歴史故事をモチーフとする多彩な彫刻で彩られている。鉄拐季、張果老、何仙姑、藍采和、曹国舅、韓湘子、呂洞賓、漢鐘離の「八仙」、古代帝王の舜が山東省済南で行なったという「舜耕歴山」などがそれにあげられる。

「街の発祥」寄山所

　煙台民俗博物館（天后宮）のすぐ南側、倭寇対策のため明代の1398年におかれた要塞の奇山所（「奇山守御千戸所」）。煙台港まで1km、南の奇山まで1kmの距離に位置し、奇山所という名

★★★
朝陽街／朝阳街 チャオヤンジエ

★★☆
南大街／南大街 ナァンダアジィエ

★☆☆
煙台文化中心／烟台文化中心 イェンタァイウェンフゥアチョンシィン
煙台博物館／烟台博物馆 イェンタァイボオウウグゥアン
万達広場／万达广场 ワァンダアグゥアンチャアン
煙台市政府旧址／烟台市政府旧址 イェンタァイシイチェンフウジィウチイ
北大街／北大街 ベェイダアジエ
大廟／大庙 ダアミィアオ
海関街／海关街 ハァイグゥアンジエ

前は、南の奇山に由来する。辺境防衛にあたる人びとやその家族が暮らしたが、清代になると衛所が廃止されたため、軍事拠点から煙台の街へと性格が変わった。東西310m、南北260mの城内に十字型に通りが走り、東西南北に4つの門を配していた。張家胡同、夏家胡同という通りに四合院様式の邸宅、また「張家祠堂」「関帝廟」「薬王廟」「城隍廟」などが見られた（奇山所の望族であった張氏は指導的立場にあった）。この煙台旧市街は「所城里」とも呼ばれていたが、1950年に城壁がとり壊され、その後、街はつくり変えられた。

煙台文化中心／烟台文化中心★☆☆

yān tái wén huà zhōng xīn

えんたいぶんかちゅうしん／イェンタァイウェンフゥアチョンシィン

市街中心部に立つ現代建築の煙台文化中心。「歴史之石（京劇院）」「現代之石（大劇院）」「未来之石（青少年宮）」からなり、京劇やクラシックコンサート、サーカス、歌劇などが行なわれる。東西400m、南北150mの敷地に、赤色の石型モニュメントと、巨大な屋根、屋根をささえる柱が組みあわり、山と海の両方を擁する煙台の自然が表現されている（地上6階、地下2階）。2009年に開館した新たな煙台のランドマークで、煙台文化の発信地となっている。

煙台博物館／烟台博物馆★☆☆

yān tái bó wù guǎn

えんたいはくぶつかん／イェンタァイボオウウグゥアン

1958年に開館し、この街の文化や民俗、芸術作品を展示する煙台博物館。渤海に面した膠東半島や莱夷の古代歴史、文化を紹介する「山海古韻」、清朝末期のアロー戦争以降に開港された煙台の埠頭文化を紹介する「世紀之路」を基本陳列とする。釉薬のほどこされた清朝時代の「陶磁器」、西周時代の「青銅器」、精緻な彫刻が見られる「玉器」、明清時代の「書画」などを収蔵する。地上4階、地下1階からなる。

極彩色の閩南彫刻が建物を彩る

開発が進む市街にあって特異なたたずまいを見せる煙台民俗博物館(天后宮)

天后は海の守り神、中国沿岸部でその廟が多く見られる

煙台博物館から高層ビル群をのぞむ

こちらは拡張された繁華街の南大街

煙台でもっとも由緒ある通りの北大街

万達広場／万达广场★☆☆

wàn dá guǎng chǎng

まんたつひろば／ワァンダアグゥアンチャアン

煙台文化中心の南側に位置する大型商業施設の万達広場。中国各地の料理を出すレストラン、ブランド品の入居するショッピングモール、商業歩行街、高級ホテル、ビジネス・オフィスなどが集まる複合施設となっている。

煙台市政府旧址／烟台市政府旧址★☆☆

yān tái shì zhèng fǔ jiù zhǐ

えんたいしせいふきゅうし／イェンタァイシイチェンフウジィウチイ

煙台の行政機関がおかれていた煙台市政府旧址。煙台の開港を受けて、1862年、莱州府にあった官僚機構がこちらに遷され、山東省の登州、莱州、青州を管轄した（煙台市政府旧址は、20世紀以前は山東登莱青道署と呼ばれていた）。その道台をつとめたなかに李鴻章の洋務運動を助けた盛宣懐がいる。盛宣懐は1886年にこの煙台に任官し、災害救済や河川航路の開発を行なった（のちに盛宣懐は、山に囲まれた煙台に、長崎は似ていると述べている）。また煙台市政府旧址前の通りにはかつて慈善団体の広仁堂があったことから、老広仁堂街と呼ばれていた。

北大街／北大街★☆☆

běi dà jiē

きただいがい／ベェイダアジエ

北大街は、煙台市街の形成される以前の1750年（清朝乾隆帝時代）に完成したこの街でもっとも由緒ある通り。当時の煙台は、渤海を往来する漁船や商船の避難港となり、あたりには小さな漁村が点在していた。北大街は海の守り神である天后をまつる大廟の参道でもあり、全長1420mに草市、菜市、面市、飯市、魚市、果物市などが集まっていた。当時は煙台そのもののにぎわいであったことから、「煙台街」とも呼ばれ、やがて大廟の北の通りを意味する「北大街」と名づけられた。北大街は1980年代に新たに整備されて古い建物は消え、拡張された南大街にくらべて、通りはそれほど大きくないが、商店がならぶ。

大廟／大庙★☆☆

dà miào

だいびょう／ダアミィアオ

「先に大廟があって、後から煙台ができた」と言われ、海の守り神の娘娘がまつられていた大廟（より古くは龍王廟だったという）。明代に漁民たちがお金を集めて建て、火災にあったため、清代の1810年に重修された。当時は山門、鐘楼、鼓楼、大殿、陪殿、寝殿から構成される道教寺院で、ここで毎夕、市が開かれ、雑貨、農具、土産物、畜類が売買された。この大廟を中心に、北側の通りが北大街、南側が南大街と名づけられるなど、煙台の中心であったが、20世紀後半の文革時期に破壊をこうむり、現在は戯台が残っている。

煙台清真寺／烟台清真寺★☆☆

yān tái qīng zhēn sì

えんたいせいしんじ／イェンタァイチィンチェンスウ

煙台旧市街南東に立つイスラム教モスクの清真寺。煙台開港後の1879年に山東省徳州から回教徒が煙台に移住してきて、翌1880年、資金を集めて清真寺がつくられた（また河北省からの移住者が多い）。その後、再建され、白の壁面にイスラム教を意味する緑色のドーム、「清真寺」の文言とともに金色のアラビア文字が見える。この煙台清真寺には、回族の人たちが礼拝に訪れる。

TIAN TIAN YUGANG

Yan Tai Zhan

煙台駅城市案内

煙台市街の西側に整備された鉄道駅
駅前には大型店舗が立ち
西大街は南大街とならぶ煙台の繁華街

南洪街／南洪街★☆☆

nán hóng jiē

なんこうがい／ナンホォンジエ

旧市街から西に伸びる南洪街は、煙台を代表する美食街。海鮮料理、麺料理、餃子や小吃店やレストランが集まる。夜市もにぎわう。

海の幸を使った煙台料理

煙台の料理は膠東料理と呼ばれ、ナマコ、アワビ、ワタリガニ、ウニ、ホタテを使った海鮮料理（「海味大観」）で知られる。煙台近郊の福山を発祥とし、明代から700年に渡って受け継がれて、済南料理とともに山東料理の二大潮流をなす（明代に100と言われる多様な技法、調理法があった）。鮮度を重んじ、素材の味を活かすことが膠東料理の特徴で、新鮮な魚を蒸した「清蒸加吉魚」や、なまこの風味を生かした煮もの「葱焼海参」、醤油でえびを煮込んだ「紅焼大蝦」などがその代表格。海の幸をふんだんに使った煙台地方の料理は、古くは始皇帝を魅了したとも言われ、清朝時代には福山の料理人が北京の厨房で活躍した。現在、膠東料理は青島にも受け継がれている。

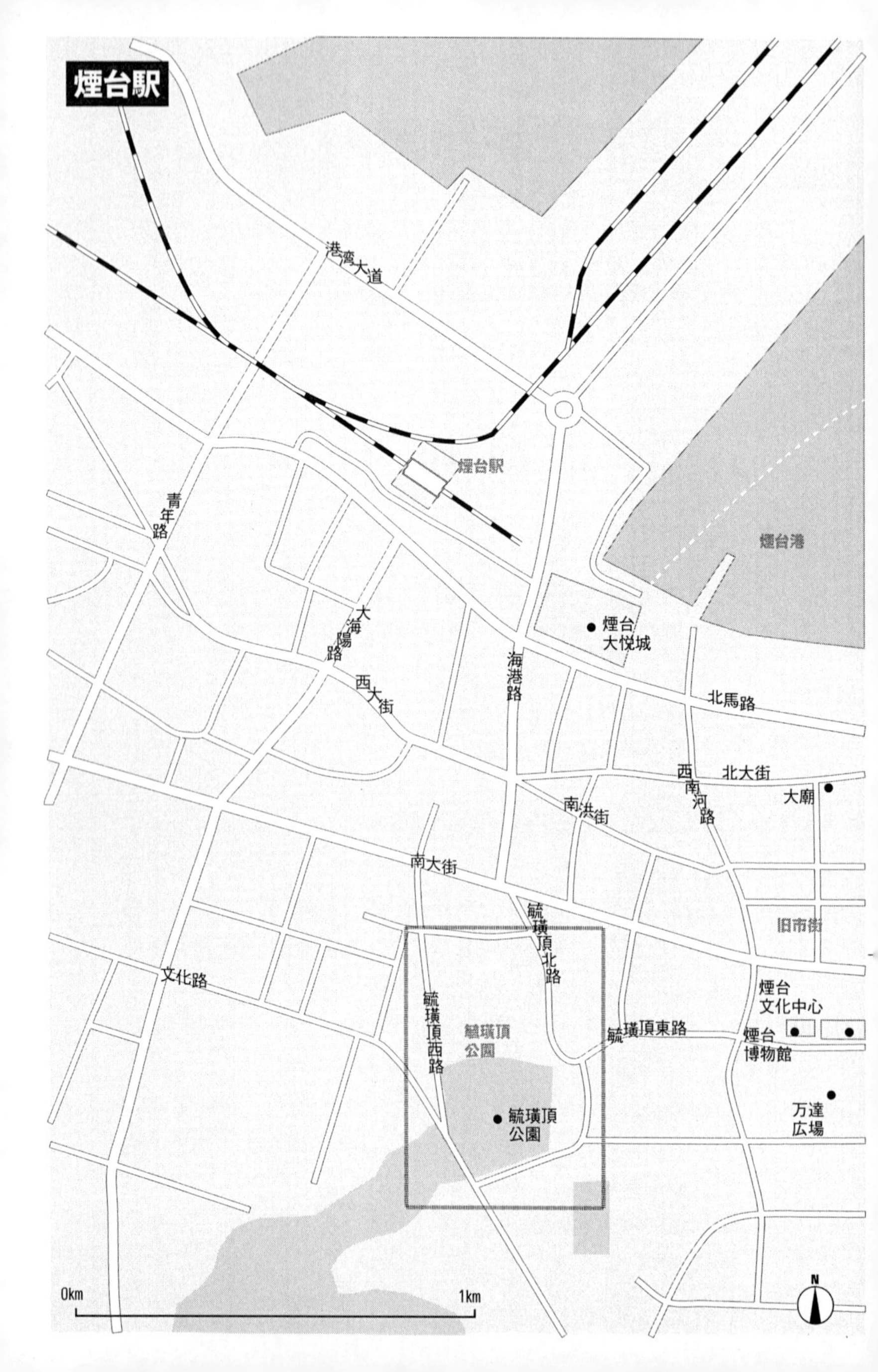

煙台駅
港湾大道
煙台駅
青年路
煙台港
大海陽路
煙台大悦城
海港路
西大街
北馬路
北大街
西南河路
大廟
南洪街
南大街
毓璜頂北路
旧市街
文化路
煙台文化中心
毓璜頂西路
毓璜頂公園
毓璜頂東路
煙台博物館
毓璜頂公園
万達広場
0km
1km
N

毓璜頂公園／毓璜顶公园★★☆

yù huáng dǐng gōng yuán

いくこうちょうこうえん／ユウファンディンゴォンユゥエン

南山を背(南)に、海を前(北)にする丘陵上に展開する毓璜頂公園。高さ72mの毓璜頂からは芝罘湾が視界に入り、元の末期に建てられた煙台で最古の「玉皇廟」が立つことから、かつては玉皇頂とも呼ばれた(毓璜とは玉皇のこと)。明清時代に再建を繰り返し、道教の最高神である玉皇をまつる「玉皇殿」を中心に、緑の瑠璃瓦でふかれた古建築群が残る。東に八仙のひとりをまつる「呂祖殿」、西側に道士たちが居住する「玉皇閣」が位置し、その周囲には亭、石碑が残る。風水上優れた環境から「小蓬莱」にたとえられ、玉皇の誕生日である旧暦正月9日には盛大な祭祀が行なわれてきた。近代に入って煙台が開港されたのち、キリスト教系の病院がこの地に建てられた。

西大街／西大街★☆☆

xī dà jiē

にしだいがい／シイダアジエ

煙台駅近くの市街西部を東西に走る西大街。この街を代表する繁華街で、百盛(パークソン)をはじめとする商業店舗、高層ビル、劇場、オフィスなどが集まる。また煙台の交通拠

★★☆

毓璜頂公園／毓璜顶公园 ユウファンディンゴォンユゥエン

南大街／南大街 ナァンダアジィエ

★☆☆

南洪街／南洪街 ナンホォンジエ

西大街／西大街 シイダアジエ

煙台駅／烟台站 イェンタァイヂィアン

煙台大悦城／烟台大悦城 イェンタァイダアユエチャン

北大街／北大街 ベェイダアジエ

煙台文化中心／烟台文化中心 イェンタァイウェンフゥアチョンシィン

煙台博物館／烟台博物馆 イェンタァイボオウウグゥアン

万達広場／万达广场 ワァンダアグゥアンチャアン

大廟／大庙 ダアミィアオ

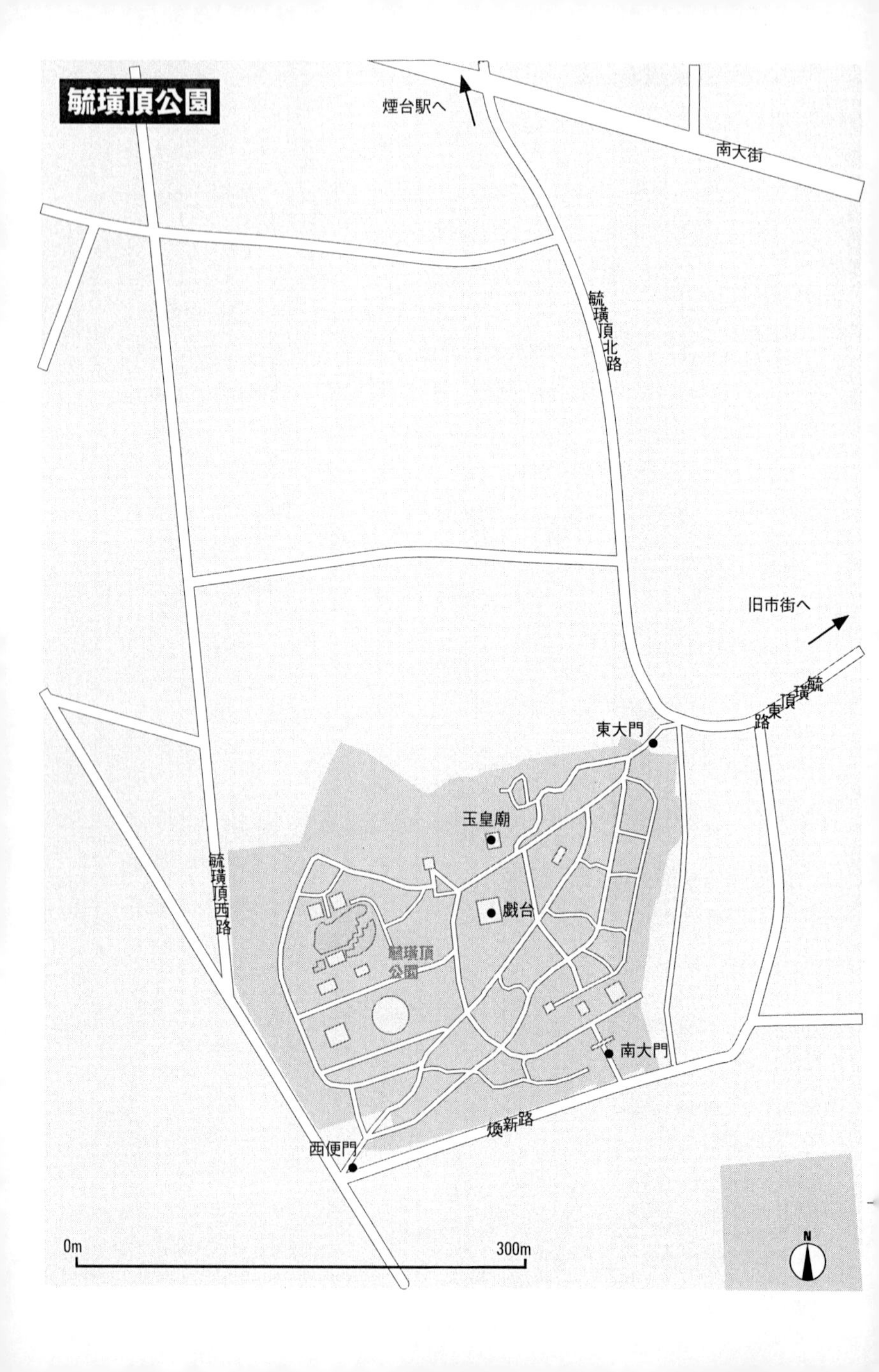

毓璜頂公園
煙台駅へ
南大街
毓璜頂北路
旧市街へ
毓璜頂東路
東大門
玉皇廟
戯台
毓璜頂公園
毓璜頂西路
南大門
煥新路
西便門
0m
300m
N

点でもある。

煙台駅／烟台站★☆☆

yān tái zhàn

えんたいえき／イェンタァイチィアン

曲線を描く巨大な屋根をもつ煙台駅。煙台に鉄道が通じたのは1956年で、比較的遅く、そのときに煙台駅も建設された（煙台は山東省最初の開港地だったものの、済南と青島を結ぶ膠済鉄路の開通で青島に追い抜かれた）。現在の煙台駅は2007年に完成し、北東側の煙台港、バスターミナルにも近いこの街の玄関口となっている。

煙台の産業

石島、威海衛、芝罘、龍口という入り組んだ入江の続く膠東半島では、古くから漁業が盛んで、廟島群島あたりは良好な漁場となっている。煙台では、こうした漁場から陸揚げされた魚類や魚介類の冷凍水産加工業が盛んで、洋上の生け簀ではナマコ、アワビ、ワタリガニの養殖も行なわれている。また煙台の気候はフルーツの栽培に適し、ブドウ、桃、りんご、さくらんぼ、いちごなどの産地として知られる（果物のほか、落花生、野菜をはじめとする農産物の生産量も中国有数）。改革開放がはじまると、1984年、煙台は上海、大連、天津、青島などの沿岸部の都市とともに対外開放され、開発区がおかれた。とくに地理的に近い韓国からの投資が多く、中国に暮らす朝鮮族が煙台に出稼ぎにくるという。また美しい砂浜をもつ煙台は、夏のリゾート地として発展し、高級マンションや別荘地も見られるようになった。

★★☆

毓璜頂公園／毓璜顶公园 ユウファンディンゴォンユゥエン

南大街／南大街 ナァンダアジィエ

煙台駅のそばに立つ煙台大悦城

小蓬莱と呼ばれた毓璜頂公園

鉄道駅、バスターミナルや港などが集まる

「仏」の朱文字、ここは煙台の宗教、信仰の中心地であった

煙台大悦城／烟台大悦城★☆☆

yān tái dà yuè chéng

えんたいだいえつじょう／イェンタァイダアユエチャン

煙台駅近くに立つ大型ショッピングモールの煙台大悦城。ショッピング、レジャー、グルメ、休暇をテーマにしたさまざまな店舗、レストランが入居する。7階からは芝罘湾や煙台山をながめられる。

山東省ではじめて開港された煙台港

アロー戦争後に天津条約(1858年)が結ばれ、1861年、登州府福山県に属した煙台が開港された。山東省で初の開港地となった煙台港は、渤海の不凍港として注目され、1866年には税関と全長257mの埠頭がもうけられた(青島よりも早く開港された)。当初、煙台港の水深は4.5mだったため、外国から入港する1000トン級の船舶は、煙台港から離れて投錨し、そこから乗り換えた小型船が使われた。煙台港から大豆粕、大豆油、麦わら真田、干し魚、生糸、絹織物などが輸出され、また近代、この港から山東省の苦力(労働者)が満州に向かった。やがて青島や大連の開港を受けて、煙台港の地位は相対的にさがっていった。

烟台
烟台站

Yan Tai Xi Bei

煙台北西城市案内

煙台から北西9kmに浮かぶ芝罘島
Tの字型をした岬状の半島で
喉元はわずか1kmほど、かつては陸から離れた島だった

芝罘島／芝罘岛★★☆

zhī fú dǎo

ちーふーとう／チイフウダァオ

中華全土を統一した秦の始皇帝(紀元前259～前210年)が三度訪れ、その徳を示す刻石を残した芝罘島。始皇帝にさかのぼる春秋戦国時代の斉、またそれ以前からの聖地で、八神のうちの陽主がまつられていた。春秋時代は「転附(転じて附す船着き場)」、秦の始皇帝や漢の武帝がこの地に不老不死の薬を求めた秦漢時代には「之罘」、その後は「芝罘」と表記が変わっていった(芝罘島という名前は、この島のかたちが「霊芝ことヒジリダケ」に似ていることに由来する)。元、明時代は渤海の中継港の役割を果たし、1398年に煙台の街がつくられると、芝罘島はちょうど天然の屏風のように煙台を守る防壁となった。1861年の煙台開港にあたって、条約の文言に芝罘島の芝罘(チーフー)が使われたことから、長らく芝罘が街(煙台)そのものを指した。東西9km、南北2.5kmの島の北側は山林で、断崖には洞窟や奇岩が見える。また波の影響を受けない南側は岸辺になっていて、島全体が美しい自然におおわれている。

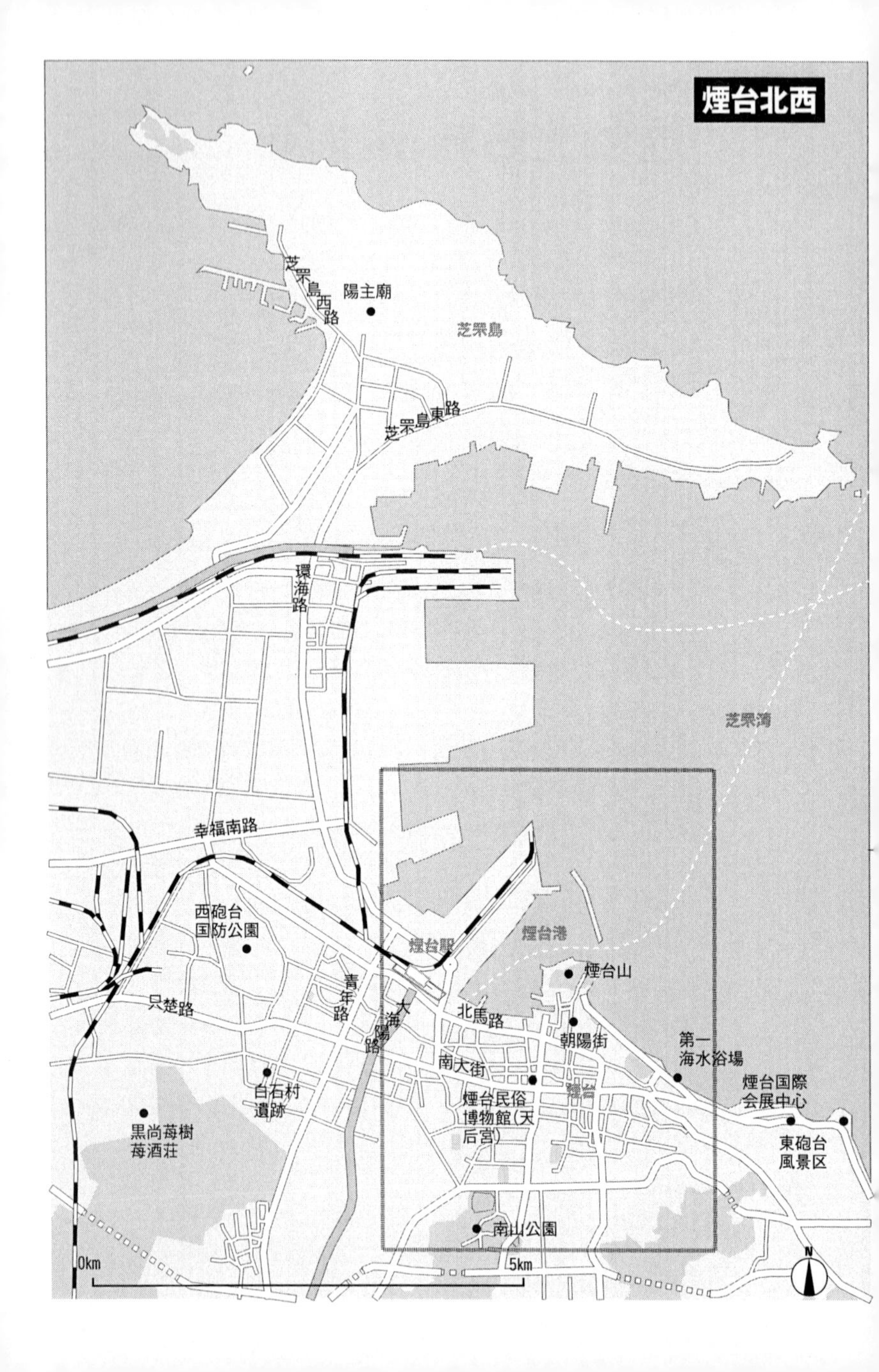

煙台北西
芝罘島西路
陽主廟
芝罘島
芝罘島東路
環海路
芝罘湾
幸福南路
西砲台
国防公園
煙台駅
煙台港
煙台山
青年路
大海陽路
只楚路
北馬路
朝陽街
第一
海水浴場
南大街
煙台国際
会展中心
白石村
遺跡
煙台民俗
博物館(天
后宮)
黒尚莓樹
莓酒荘
東砲台
風景区
南山公園
0km
5km
N

陽主廟／阳主庙★☆☆

yáng zhǔ miào

ようしゅびょう／ヤァンチュウミィアオ

芝罘島の中央北にそびえる標高294mの老爺山（主峰）の南麓に位置する陽主廟。古く、東夷の紀の国が、南方の太陽を拝んでいたとされ、春秋戦国時代になって斉が陽主、陰主、月、天、地などの自然を八神として体系づけた。斉、またそれ以前からあったという陽主廟は中国でもっとも古い廟のひとつで、始皇帝や漢の武帝がここで祭祀を行なった（始皇帝は紀元前219年の第2回巡幸、紀元前218年の第3回巡幸、紀元前210年の第5回巡幸の三度、芝罘島に訪れ、「陽和方に起こる。皇帝東游し、巡りて之罘に登り、臨みて海に照る」の記録が残る）。元代に再建され、徐福が巨大な魚を射殺したという「射魚台跡」も残る。

山東省を領土とした斉の八神

「天主（臨淄の泉のわく天の臍）」

「地主（泰山近くの梁父山）」

「兵主蚩尤（斉の西境の地）」

★★★

朝陽街／朝阳街 チャオヤンジエ

煙台山／烟台山 イェンタァイシャン

煙台民俗博物館（天后宮）／烟台民俗博物馆 イェンタァイミィンスウボオウウグゥアン

★★☆

芝罘島／芝罘岛 チイフウダァオ

第一海水浴場／第一海水浴场 ディイイハイシュイユウチャァン

南大街／南大街 ナァンダアジィエ

★☆☆

陽主廟／阳主庙 ヤァンチュウミィアオ

黒尚苺樹苺酒荘／黑尚莓树莓酒庄 ヘェイシャンメェイシュウメェイジィウチュゥアン

西砲台国防公園／西炮台国防公园 シイパァオタァイグゥオファンゴォンユゥエン

白石村遺跡／白石村遗址 バァイシイチュンイイチイ

南山公園／南山公园 ナァンシャンゴォンユゥエン

煙台駅／烟台站 イェンタァイヂィアン

煙台国際会展中心／烟台国际会展中心 イェンタァイグゥオジイフイチャンチョンシン

東砲台海浜風景区／东炮台海滨风景区 ドォンパァオタァイハァイビィンフェンジィンチュウ

「陰主（三神山をかたどった渤海沿岸の三山）」
「陽主（渤海に突き出した芝罘島の南面）」
「月主（渤海をのぞむ莱山）」
「日の出の出る日主（山東半島東端の成山）」
「四季をまつる四時主（斉の東方の琅琊台）」

黒尚苺樹苺酒荘／黑尚莓树莓酒庄★☆☆

hēi shàng méi shù méi jiǔ zhuāng
こくしょうばいじゅばいしゅそう／ヘェイシャンメェイシュウメェイジィウチュゥアン

煙台市街の西郊外、簍子山の麓に立つ黒尚苺樹苺酒荘（ブラックベリー、ラズベリー）。煙台はラズベリー（木苺）の栽培に適し、この酒荘ではラズベリーワインにまつわる展示、地下大酒窖（地下のワインセラー）が見られる。

西砲台国防公園／西炮台国防公园★☆☆

xī pào tái guó fáng gōng yuán
にしほうだいこくぼうこうえん／シイパァオタァイグゥオファンゴォンユゥエン

西砲台は、煙台開港後の1876年に市街防衛の目的で建設され、1887年に拡張された。通伸岡にあわせて海にのぞむように展開し、大小砲台、甕城、演兵場、地下の指揮所、弾薬庫などが残る。現在は西砲台国防公園として整備されている。

白石村遺跡／白石村遺址★☆☆

bái shí cūn yí zhǐ
はくせきそんいせき／バァイシイチュンイイチイ

白石村遺跡は、煙台市街地近くに残る新石器時代の遺跡。漁労が行なわれていた古代集落と考えられ、約7000年前の1期、5、6000年前の2期の文化が確認されている。1973年に発掘され、通伸河が海にそそぐ地点にあたり、東西200m、南北185mからなる。打製石器や陶器の破片が出土したほか、太陽崇拝も見られたという。

Cheng Shi Nan Dong

煙台南東城市案内

煙台市街を屏風のようにおおう丘陵
豊かな自然をもつ南山公園
また東の海岸には第二海水浴場も位置する

南山公園／南山公园★☆☆

nán shān gōng yuán

なんざんこうえん／ナァンシャンゴォンユゥエン

煙台南郊外の丘陵地帯に広がり、桃、梨、杏、りんごなどの樹木が茂る南山公園。池の周囲に棲雲閣の立つ「公園区」、盆景園、玫瑰園、牡丹園が見られる「花卉区」、シベリアンタイガー、ライオンなどが飼育されている「動物区」、3万株の植物が生息する「森林区」などからなる。また張弼士の張裕醸酒公司は、南山一角の広大な土地を開拓して、ブドウ樹を植えたという経緯もある。

塔山旅游風景区／塔山旅游风景区★☆☆

tǎ shān lǚ yóu fēng jǐng qū

とうざんりょゆうふうけいく／タアシャンリュウヨウフェンジィンチュウ

東の岱山、西の南山に囲まれた丘陵地帯に位置する塔山旅游風景区。元朝初期に建てられた「太平庵」が山中にひっそり残る。太平庵は全真教の道庵で、四合院様式の建物となっている。また高さ39.9mの「三和塔」も立つ。

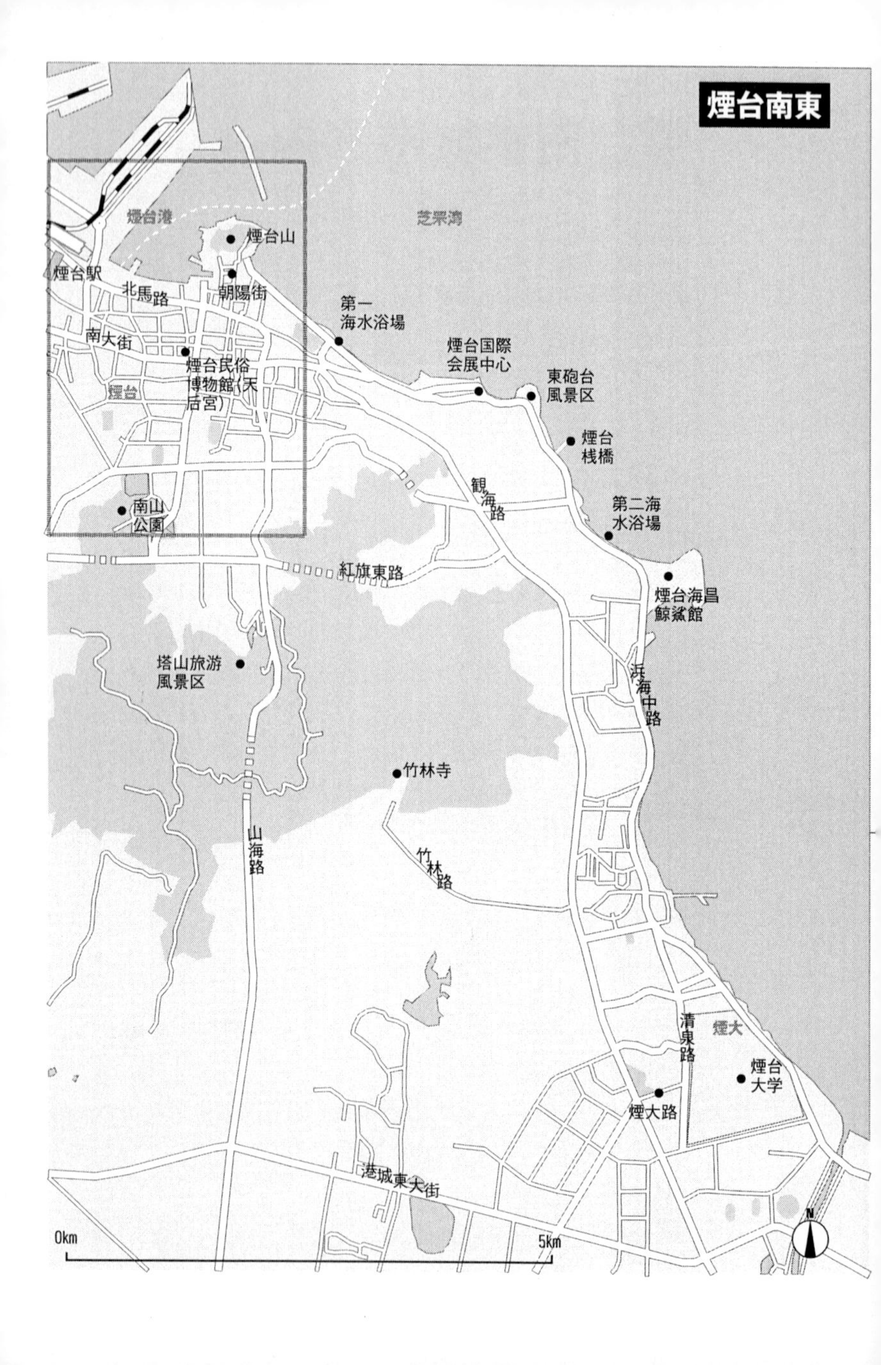
煙台南東
煙台港
芝罘湾
煙台山
煙台駅
北馬路
朝陽街
南大街
第一
海水浴場
煙台国際
会展中心
東砲台
風景区
煙台民俗
博物館(天
后宮)
煙台
煙台
桟橋
観
海
路
第二海
水浴場
南山
公園
紅旗東路
煙台海昌
鯨鯊館
浜
海
中
路
塔山旅游
風景区
竹林寺
山
海
路
竹
林
路
清
泉
路
煙大
煙台
大学
煙大路
港城東大街
0km
5km
N

竹林寺／竹林寺★☆☆

zhú lín sì

ちくりんじ／チュウリィンスウ

岱王山を背後に伽藍が展開する竹林寺。金(1115〜1234年)代に建てられ、その後、明代、清代に重修された。文革時期(1965年から10年)に破壊されたが、1997年、再建されて現在にいたる。「山門」から「鐘楼」「鼓楼」「天王殿」「大雄宝殿」「三聖殿」と続き、黄色の屋根瓦でふかれている。

煙台国際会展中心／烟台国际会展中心★☆☆

yān tái guó jì huì zhǎn zhōng xīn

えんたいこくさいかいてんちゅうしん／イェンタァイグゥオジイフイチャンチョンシン

煙台市街の東郊外に立ち、展示会、国際会議などが開催される煙台国際会展中心。世紀庁、貴賓室、会議室などからなる大型施設で、複数のレストランを備える。

★★★

朝陽街／朝阳街 チャオヤンジエ

煙台山／烟台山 イェンタァイシャン

煙台民俗博物館（天后宮）／烟台民俗博物馆 イェンタァイミィンスウボオウウグゥアン

★★☆

第一海水浴場／第一海水浴场 ディイイハイシュイユウチャァン

南大街／南大街 ナァンダアジィエ

★☆☆

南山公園／南山公园 ナァンシャンゴォンユゥエン

塔山旅游風景区／塔山旅游风景区 タアシャンリュウヨウフェンジィンチュウ

竹林寺／竹林寺 チュウリィンスウ

煙台国際会展中心／烟台国际会展中心 イェンタァイグゥオジイフイチャンチョンシン

東砲台海浜風景区／东炮台海滨风景区 ドォンパァオタァイハァイビィンフェンジィンチュウ

煙台桟橋／烟台栈桥 イェンタァイチャンチィアオ

第二海水浴場／第二海水浴场 ディアアハイシュイユウチャァン

煙台海昌鯨鯊館／烟台海昌鲸鲨馆 イェンタァイハイチャンジィンシャアグゥアン

煙台大学／烟台大学 イェンタァイダアシュエ

煙台駅／烟台站 イェンタァイチィアン

目視できるところ、洋上に浮かぶ蓬莱の島

始皇帝時代の芝罘の港から煙台港へ

煙台近郊には緑豊かな丘陵が広がる

将棋を指す人たち、煙台市街にて

東砲台海浜風景区／东炮台海滨风景区★☆☆

dōng pào tái hǎi bīn fēng jǐng qū

ひがしほうだいかいひんふうけいく／ドォンパァオタァイハァイビィンフェンジィンチュウ

東、北、西の三面を海に囲まれた高さ20mの断崖(歸岱山)に残る東砲台。煙台東部の防御拠点で、煙台開港後の1891年に銀100万両を使って建設された(李鴻章が三度訪れている)。東砲台石拱門(台門)には「表海風雄」と刻まれ、なかには「古炮台」「営房」「指揮所」「隠蔽所」「濠溝」が見られる。2002年に整備され、現在は東砲台海浜風景区となっている。

煙台桟橋／烟台栈桥★☆☆

yān tái zhàn qiáo

えんたいさんばし／イェンタァイチャンチィアオ

煙台市街東部、沿岸から250mほど突き出した煙台桟橋。黄海に向かって伸びる桟橋の先端にはモニュメントが立つ。黄海明珠桟橋ともいう。

第二海水浴場／第二海水浴场★☆☆

dì èr hǎi shuǐ yù chǎng

だいにかいすいよくじょう／ディアアハイシュイユウチャアン

煙台東郊外に広がる第二海水浴場。北に煙台桟橋をのぞみ、南側に煙台海昌鯨鯊館が立つ。また海上には崆峒島が見える。

煙台海昌鯨鯊館／烟台海昌鲸鲨馆★☆☆

yān tái hǎi chāng jīng shā guǎn

えんたいかいしょうげいさかん／イェンタァイハイチャンジィンシャアグゥアン

海昌漁人碼頭に立つ世界最大の魚と言われるジンベエザメを中心としたテーマパークの煙台海昌鯨鯊館。「鯨鯊展区」「鯊魚展区」「海亀展区」「海牛展区」「珊瑚展区」「水母展区」「歓楽劇場」「深海探検」「人魚伝説」からなり、サメ、ウミガメなどが飼育されている。

煙台大学／烟台大学★☆☆

yān tái dà xué

えんたいだいがく／イェンタァイダアシュエ

煙台市街の南東10㎞、美しい海岸沿いに立つ煙台大学。1984年に創建され、煙台大学に隣接する万象城界隈は、夜市がにぎわう煙大市場、美食街でも知られる。

Yan Tai Jiao Qu

煙台郊外城市案内

煙台市街の西郊外につくられた煙台経済技術開発区
煙台郊外には養馬島や崆峒島といった
美しい自然をもった島も点在する

煙台経済技術開発区／烟台经济技术开发区★☆☆

yān tái jīng jì jì shù kāi fā qū

えんたいけいざいぎじゅつかいはつく／イェンタァイジィンジイジイシュウカァイフゥアチュウ

鄧小平による改革開放を受けて、1984年、中国沿岸部の14都市が対外開放された。煙台経済技術開発区はそのときにつくられたもので、煙台市街から夾河を越えた西郊外に位置する（煙台蓬莱国際空港まで27km）。東に自動車、ハイテク、船舶産業の集まる工業地帯、西に文化、スポーツ娯楽施設、南側に大学や図書館が配置された。外資誘致でも青島に対抗し、その立地から韓国と日本の企業が多く進出している。

金沙灘海浜公園／金沙滩海滨公园★☆☆

jīn shā tān hǎi bīn gōng yuán

きんさたんかいひんこうえん／ジィンシャアタァンハイビィンゴォンユゥエン

煙台経済技術開発区の海岸沿いに10kmに渡って続く金沙灘海浜公園。穏やかな波の打ち寄せる美しいビーチで、「天街広場」「海浜音楽広場」「海浜休閑広場」「万米海水浴場」「科普運動広場」「秦始皇東巡宮」などが位置する。

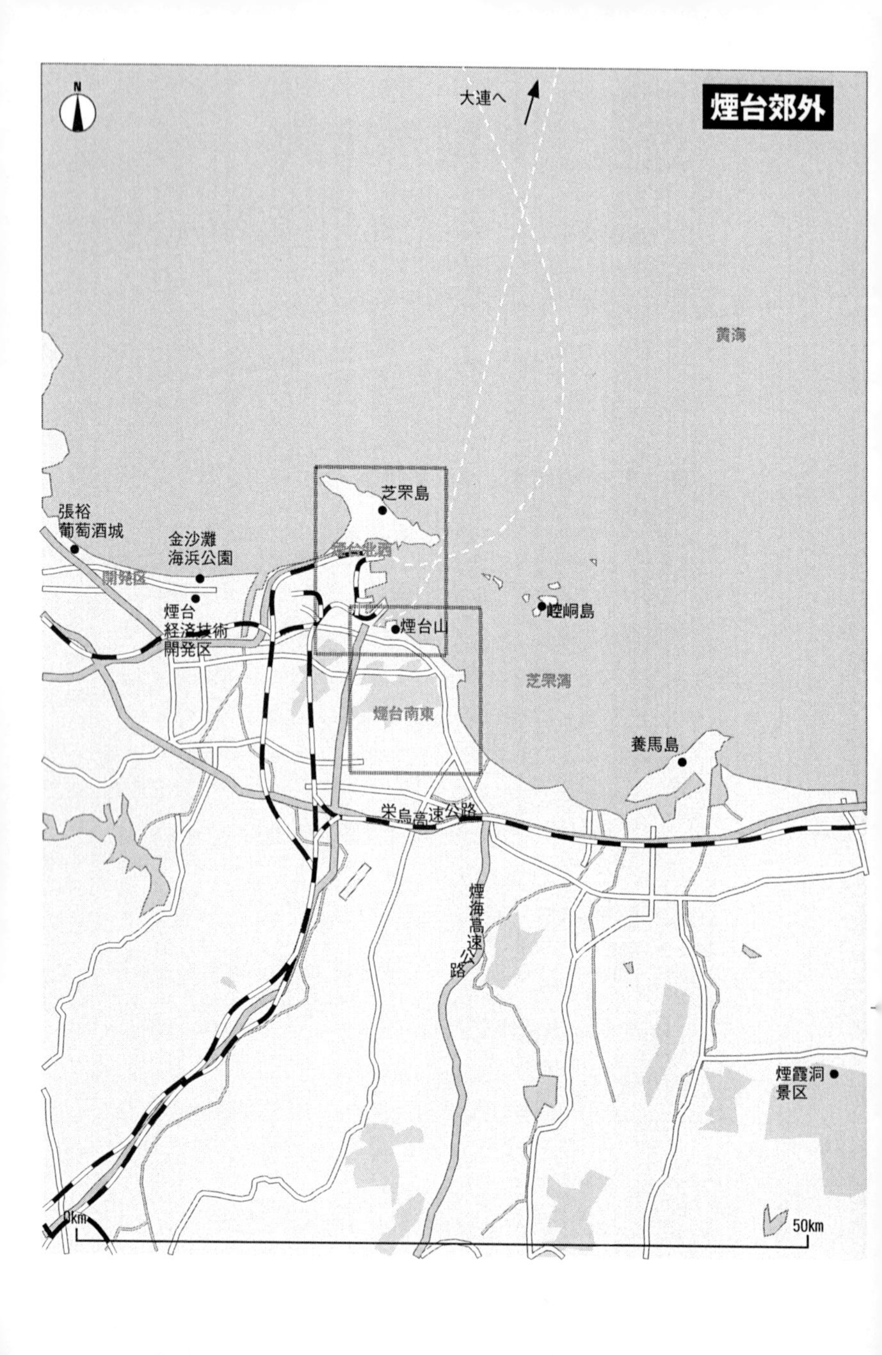
煙台郊外
N
大連へ
黄海
芝罘島
張裕
葡萄酒城
金沙灘
海浜公園
開発区
煙台
経済技術
開発区
煙台山
崆峒島
芝罘湾
煙台南東
養馬島
栄烏高速公路
煙海高速公路
煙霞洞
景区
0km
50km

張裕葡萄酒城／张裕葡萄酒城★☆☆

zhāng yù pú táo jiǔ chéng

ちょうゆうぶどうしゅじょう／チャアンユウプウタァオジィウチャン

1892年に張弼士がワイン工場を設立して以来、中国屈指のワイン生産地となった煙台。張裕葡萄酒城は煙台の西郊外に位置し、煙台のワインづくりを紹介、展示する。ブドウ畑が続くなか、欧米風の建物が立ち、深さ4.5mにあるワインを寝かせる地下酒窖も見られる。12～16度の室温、75～80%の湿度がワインを熟成されるのに適しているのだという。

養馬島旅游度假区／养马岛旅游度假区★☆☆

yǎng mǎ dǎo lǚ yóu dù jià qū

ようまとうりょゆうどかく／ヤァンマアダァオリュウヨウドゥジィアチュウ

煙台市街の東20㎞に浮かぶ養馬島。島の名前は、紀元前219年に始皇帝が東巡で訪れたとき、水草のしげるこの地で軍馬を飼育したことに由来するという。東西7.5㎞、南北1.5㎞で、全長1100mの海水浴場はじめ、美しい自然が見られる。

★★★
煙台山／烟台山 イェンタァイシャン

★★☆
芝罘島／芝罘岛 チイフウダァオ

★☆☆
煙台経済技術開発区／烟台经济技术开发区 イェンタァイジィンジイジイシュウカァイフウアチュウ
金沙灘海浜公園／金沙滩海滨公园 ジィンシャアタァンハイビィンゴォンユゥエン
張裕葡萄酒城／张裕葡萄酒城 チャアンユウプウタァオジィウチャン
養馬島旅游度假区／养马岛旅游度假区 ヤァンマアダァオリュウヨウドゥジィアチュウ
崆峒島旅游風景区／崆峒岛旅游风景区 コォンドォンダオリュウヨウフェンジィンチュウ
煙霞洞景区／烟霞洞景区 イェンシィアドォンジィンチュウ

崆峒島旅游風景区／崆峒岛旅游风景区★☆☆

kōng dòng dǎo lǚ yóu fēng jǐng qū

こうどうとうりょゆうふうけいく／コォンドォンダオリュウヨウフェンジィンチュウ

煙台市街から望むこともできる崆峒島。Tの字型をした崆峒島と西の端でつながる馬島が港をつくる。半月型の海湾、絶壁、海水浴場が位置し、崆峒島の周囲には10ほどの小さな岩礁が集まっている。そのうち、ウミガメに似た「亀島」、鶴が水を飲むようなかたちの「仙鶴島」があり、このふたつを「亀鶴双寿」という。ナマコ、アワビ、ホタテなど豊富な水産資源をもつ。

煙霞洞景区／烟霞洞景区★☆☆

yān xiá dòng jǐng qū

えんかどうけいく／イェンシィアドォンジィンチュウ

煙台南郊外にそびえる崑崙山の北西端に残る煙霞洞。この地は道教の二大潮流のひとつである全真教ゆかりの地として知られる。全真教創始者の王重陽は、1167年に登州（蓬莱）につき、続いて寧海州に入った（王重陽は古くから神仙思想の豊かだった渤海沿岸のこの地にやってきた）。その郊外にある崑崙山で煙霞洞を開き、弟子たちに講道を行なった。ある日、山頂から石が落ちてきたが、王重陽が一喝するとその石はピタリととまったという。このように王重陽による全真教の教団は、煙台地区で確立され、煙霞洞景区は全真教の聖地と見られる。高さ3m、長さ7mの洞窟内には全真教を広めた7人の真人がまつられている。

高さ323mの煙台世茂海湾

幻の三仙山が再現された、蓬莱にて

Santou Hantou Ni Mita

山東半島北岸に見た夢

**古くから神仙思想が盛んだった山東半島北岸
始皇帝を魅了したこの地は
初期遣唐使が往来した窓口でもあった**

始皇帝の夢

紀元前221年、中華を統一した秦の始皇帝（紀元前259～前210年）は、中国各地を巡幸して自らの徳をたたえる石刻を残した。煙台では、芝罘刻石と離宮のあった芝罘島東側に芝罘東観刻石を立てている。始皇帝は、方士の話す神仙や不老不死の薬の話に魅せられ、永遠の生命を手に入れるため徐福を東海に派遣したがうまくはいかなかった（徐福は「大鮫に苦しめられてたどりつけないので、弩でしとめてほしい」と上奏した）。紀元前210年の5度目の巡幸で、始皇帝は海神と戦う夢を見た。そばに仕えていた方士は「海神は大魚などに化けて現れる」と告げたため、始皇帝は大魚を捕獲するための「弩（いしゆみ）」をもたせて成山から山東半島北岸をたどり、煙台でついに大魚を射殺することができたという。煙台には5mにも達するクジラがしばしば現れ、この大魚はクジラだと考えられている。ところが、そのあとすぐ始皇帝は体調を崩してなくなった。

遣唐使が第一歩を記した場所

古くから、渤海は、中国と朝鮮半島、日本を結ぶ交通路となってきた。廟島群島を通じた、山東半島と遼東半島の往来は新石器時代からあったと言われ、弥生時代の日本に現れる渡来系集団の性質と山東人の類似性も指摘されている。聖徳太子のもと国づくりを進める日本は、中国の先進的な制度や文化を学ぶために使節(遣隋使、遣唐使)を派遣したが、607年に遣隋使の小野妹子が第一歩を記した場所が煙台市管轄下の蓬莱(登州)であった。日本からの船は607〜669年までは朝鮮半島、遼東半島、廟島群島の海岸沿いを、目視しながら登州へいたる北路をとった(その後、航海技術の進歩と、朝鮮半島の緊張をさけるため、後期は日本海を直線的に海を横断する南路をとった)。そのため、絹織物、製鉄、製紙などは、広域の煙台(登州)から遣唐使らによって朝鮮、日本へと伝えられた。

倭寇と、戚継光と

朝鮮半島から中国沿岸部を荒らした倭寇(海賊)の中国への侵犯は、元末の1363年、山東の蓬州からはじまった。1368年に建国された明では、軍事上の重要性から登州を府に昇格させ、1376年に蓬莱水城が築かれた(朱元璋は山東半島に、登州衛、文登衛、即墨衛という3つの衛をおき、登州衛には8000の兵が配置された)。前期倭寇(1350〜1552年)は朝鮮半島、山東半島を中心としたが、後期倭寇(1553年〜)は浙江省、福建省などの南中国を舞台とした。倭寇討伐で功をあげた戚継光(〜1587年)は登州衛(山東省蓬莱県)の人で、父の後をついで山東の都指揮僉事となり、倭寇討伐のため、浙江、福建などで防衛にあたった。浙江の農民などで訓練した戚継光の新軍は、兵法に優れ、「戚家軍」と称された。1567年以後、戚継光は北辺防衛に遷され、北辺の総兵官として、薊州、山海関などでモンゴル軍を撃退した。

Peng Lai

蓬莱城市案内

渤海に浮かぶ仙人たちの暮らす三仙山
そこには不老不死の薬があるという
蓬莱から廟島群島が遼東半島に向かって続く

蓬莱／蓬莱★★★

péng lái

ほうらい／ペェンラァイ

蓬莱（登州）は山東半島でもっとも北に突き出した地点にあり、古くから神仙思想が盛んで、渤海に浮かぶ蜃気楼の名所として知られてきた。蓬莱という名称は、紀元前104年、東巡した漢の武帝がここから神仙の棲む蓬莱山を見たという故事からとられている。唐代の634年、蓬莱鎮がおかれ、707年、登州治所が蓬莱に遷されると、以後、長らく「登州」の名前で知られた。日本や朝鮮から中国に訪れる使節は、この登州を窓口とし、遣唐使が第一歩を記した街でもあった（街には新羅館もあったという）。江南と華北を結ぶ貿易拠点になるなど、登州は唐代から清代まで1000年間、華北最大の港であった。1856年のアロー戦争で清朝が敗れると、登州の開港が決まったが、実際にはより港湾条件のよい煙台が選ばれ、政治、経済の中心は煙台に遷った。秦の始皇帝の命で、東方におもむいた方士徐福の伝説が残るほか、唐宋時代から信仰されてきた「蓬莱閣」、渤海に現れたという「三仙山」、仙人たちの故事「八仙過海」など、東方神話に彩られた見どころが位置する。

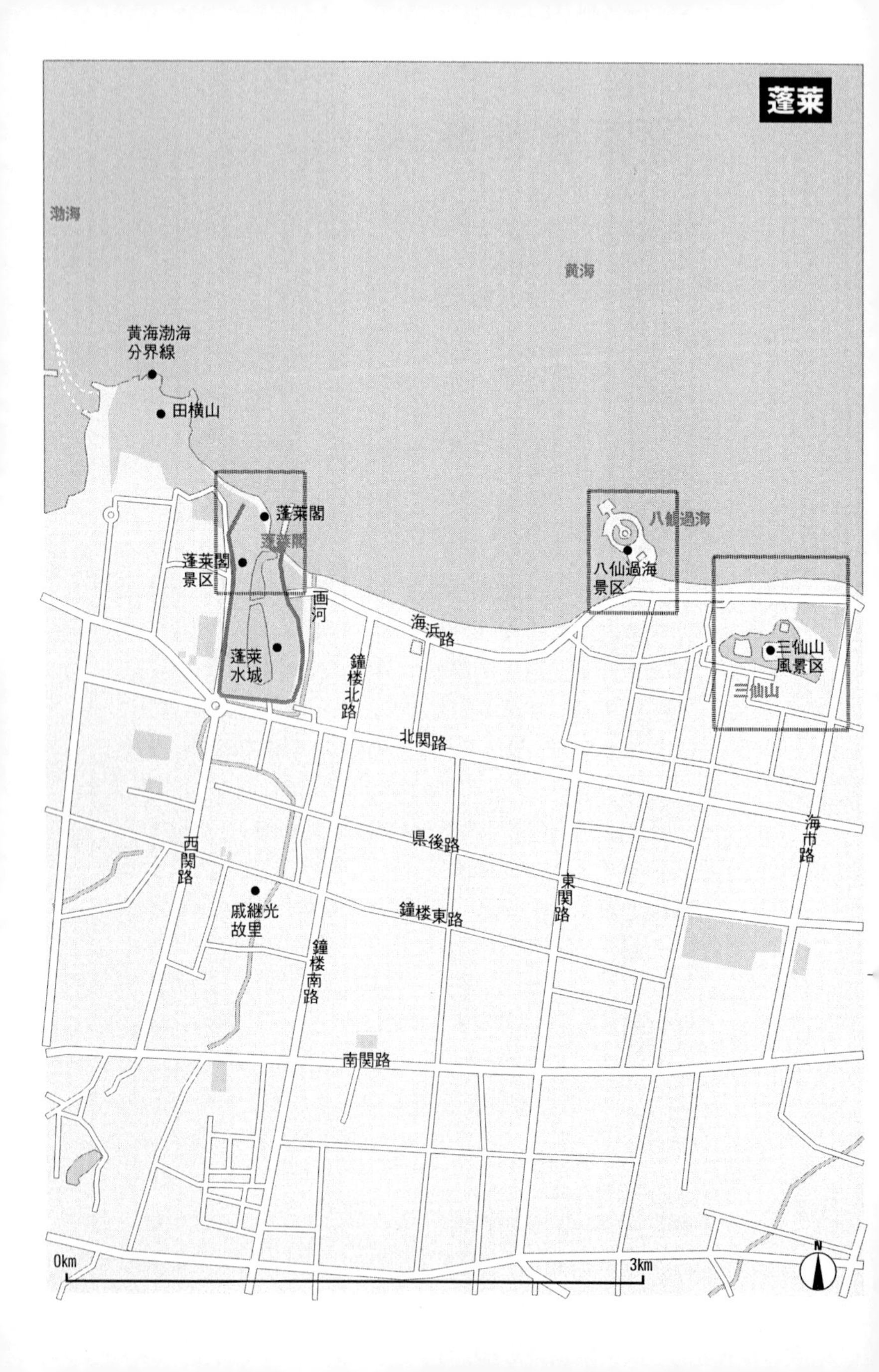
蓬莱
渤海
黄海
黄海渤海
分界線
田横山
蓬莱閣
蓬莱閣
景区
蓬莱
水城
画
河
海浜路
鐘
楼
北
路
八仙過海
八仙過海
景区
三仙山
風景区
三仙山
北関路
県後路
海
市
路
西
関
路
戚継光
故里
鐘楼東路
東
関
路
鐘
楼
南
路
南関路
0km
3km
N

唐代の登州（蓬萊）

登州（蓬萊）は、画河河口の集落からはじまり、渤海、黄海、朝鮮半島を結ぶ海上交通の要衝として発展した。隋唐五代の登州は、広州、泉州、明州、揚州とならぶ中国有数の港として知られ、唐代、李世民は古城を築いて高句麗遠征のための拠点としている。唐代の登州は今の数倍の広さだった画河の河口部を港とし、その南東側に城壁をめぐらせた都市があった。当時の登州には登州都督府がおかれ、城内の南西隅には「開元寺」、そのほか在外公館の「新羅館」「渤海館」もあり、遣唐使円仁がその様子を記している。また「城北はこれ大海にして城を去ること一里半なり。海岸に明王廟あり。海に臨んで孤標す」との記録に見える明王廟は、現在の蓬萊閣が比定されている（当時は海神をまつった明王廟）。現在、唐代登州の面影はほとんどなくなっている。

★★★
蓬萊／蓬莱 ペェンラァイ
蓬萊閣景区／蓬莱阁景区 ペェンラァイガアジィンチュウ

★★☆
蓬萊閣／蓬莱阁 ペェンラァイガア
蓬萊水城／蓬莱水城 ペェンラァイシュイチャァン
三仙山風景区／三仙山风景区 サァンシィアンシャンフェンジィンチュウ

★☆☆
田横山／田横山 ティエンハァンシャン
戚継光故里／戚继光故里 チイジイグゥアングウリイ
渤海／渤海 ボオハァイ
八仙過海景区／八仙过海景区 バアシィアングゥオハァイジィンチュウ

Peng Lai Ge

蓬莱閣鑑賞案内

丹崖山の目前に広がる大海原
そこには仙人の棲む三仙山がある
人びとはそう思いを馳せてきた

蓬莱閣景区／蓬莱阁景区★★★

péng lái gé jǐng qū

ほうらいかくけいく／ペェンラァイガアジィンチュウ

山東半島がもっとも北に突き出した地点、渤海にのぞむ断崖（丹崖山）に立つ蓬莱閣。夏ごろ、ここから海に現れる蜃気楼が確認され、それが神仙の棲む三仙山だと考えられてきた。秦の始皇帝が紀元前219年から三度この地を訪れ、漢の武帝は紀元前104年に足跡を残している。唐代に入ると、漁民たちによって海の神をまつる龍王宮が建てられ、この龍王宮と弥陀寺建設を蓬莱閣のはじまりとする。北宋の1061年、新たに蓬莱閣が建てられ、以後、「人間仙境」とたたえられるなど、道教の聖地として多くの文人が訪れた。宋、明、清代と廟や園林が造営されていき、「弥陀寺」「龍王宮」「天后宮」「三清殿」「呂祖殿」と「蓬莱閣」の六大建築を中心に100間を超す古建築群が展開する。高さ30mほどの岩山に登ると、眼下には海の向こうへと続いていく廟島群島が見え、仙界への入口を彷彿とさせる。近くには蓬莱ゆかりの文物を収蔵する「登州博物館」や、海洋テーマパークの「海洋極地世界」も位置する。

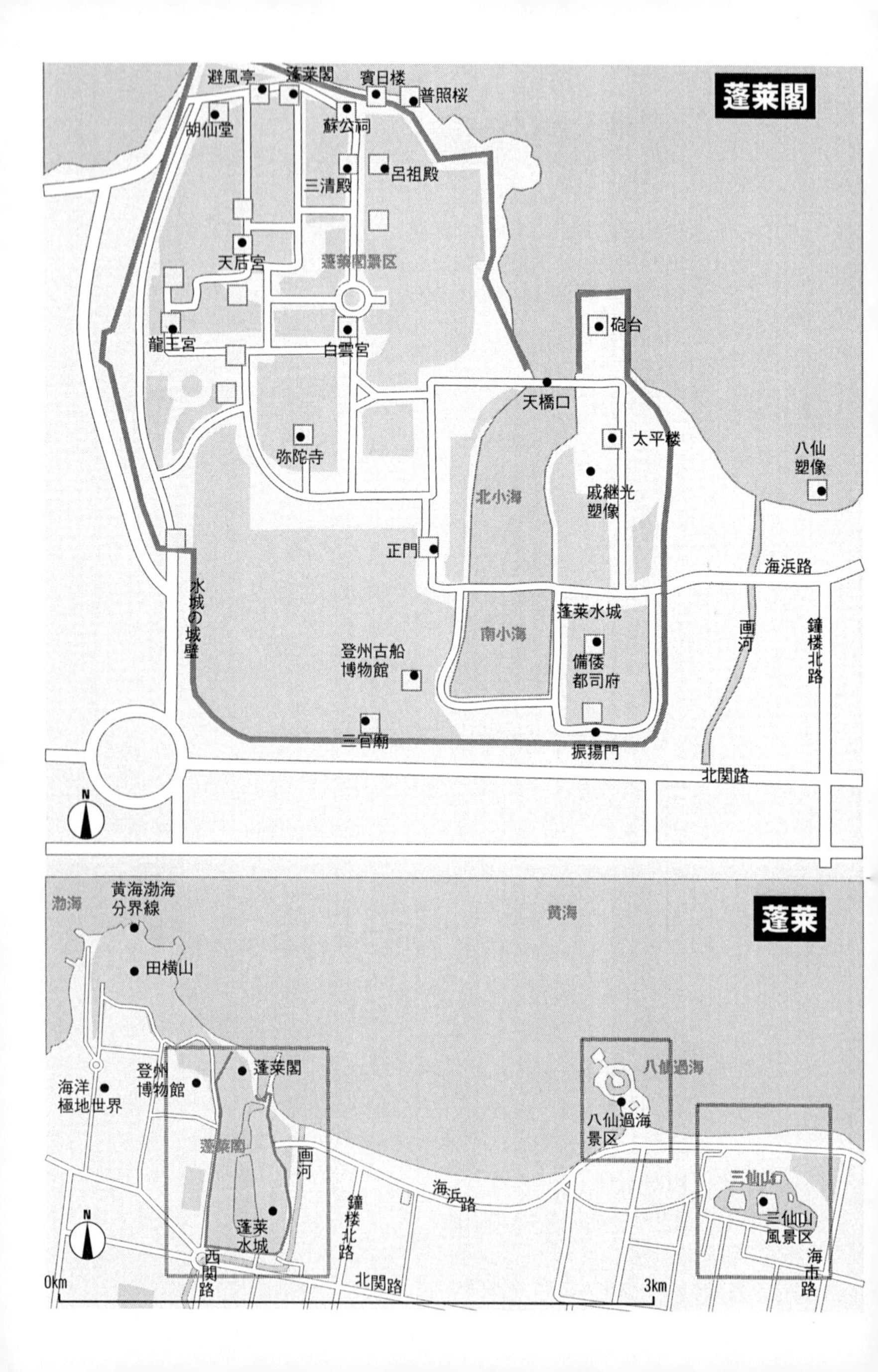
蓬莱閣
避風亭
蓬莱閣
賓日楼
普照楼
胡仙堂
蘇公祠
三清殿
呂祖殿
蓬萊閣景区
天后宮
龍王宮
白雲宮
砲台
天橋口
太平楼
弥陀寺
八仙
塑像
北小海
戚継光
塑像
正門
海浜路
水城の城壁
蓬萊水城
南小海
画河
鐘楼北路
登州古船
博物館
備倭
都司府
三官廟
振揚門
北関路
N
黄海渤海
分界線
渤海
黄海
蓬莱
田横山
蓬萊閣
登州
博物館
海洋
極地世界
八仙過海
八仙過海
景区
蓬萊閣
画河
三仙山
海浜路
鐘楼北路
三仙山
風景区
蓬萊
水城
海市路
西関路
北関路
0km
3km

弥陀寺／弥陀寺★☆☆

mí tuó sì

みだじ／ミイツゥオスウ

蓬萊閣古建築群の南端、丹崖山南麓に位置する仏教寺院の弥陀寺。蓬萊閣景区では唯一の仏教寺院で、唐(618～907年)代の創建と伝えられる。明代の1583年、名僧憨山徳清がこの地に拠点を構えたことが知られ、弥陀とは西方の極楽浄土にいるという阿弥陀仏を指す。慧遠をまつった「祖師殿」、関羽をまつった「関公殿」、西方三聖と十八羅漢、阿弥陀仏を安置する「正殿」と伽藍が続く。

龍王宮／龙王宫★☆☆

lóng wáng gōng

りゅうおうきゅう／ロォンワァンゴォン

蓬萊閣のある丹崖山には、もともと海の神である龍王がまつられていて、安全や祈雨を願って唐代から漁民、農民たちに信仰されていた(4つの海それぞれに龍王がいて、東海は広徳王)。宋代の1061年に蓬萊閣が建てられると、それまであった宋代の龍王廟は丹崖山の西側に遷された。龍王の塑像がある「正殿」、その背後に「後殿」が位置する。

★★★

蓬萊閣景区／蓬莱阁景区 ペェンラァイガアジィンチュウ

蓬萊／蓬莱 ペェンラァイ

★★☆

蓬萊閣／蓬莱阁 ペェンラァイガア

蓬萊水城／蓬莱水城 ペェンラァイシュイチャァン

三仙山風景区／三仙山风景区 サァンシィアンシャンフェンジィンチュウ

★☆☆

弥陀寺／弥陀寺 ミイツゥオスウ

龍王宮／龙王宫 ロォンワァンゴォン

天后宮／天后宫 ティエンホォウゴォン

三清殿／三清殿 サァンチィンディエン

呂祖殿／吕祖殿 リュウチュウディエン

蘇公祠／苏公祠 スウゴォンツウ

避風亭／避风亭 ビイフェンティン

田横山／田横山 ティエンハァンシャン

蘇東坡が1085年に登州に着任したのは冬で、「蜃気楼は春夏にしか見えない」と言われたが、海神広徳王の廟に祈ったところ、蜃気楼が現れたという。

天后宮／天后宫★☆☆
tiān hòu gōng
てんごうきゅう／ティエンホォウゴォン

海の守り神である媽祖をまつる天后宮は、宋代の1122年に建てられた。華北でもっとも由緒ある天后宮のひとつで、華北では天后は海神娘娘と呼ばれる（もともと天后こと媽祖は福建省莆田の神さまだが、各王朝に冊封されたことで、天の妃にまでなった）。「戯楼」「前殿」「正殿」と続き、正殿には天后（媽祖）がまつられている。

三清殿／三清殿★☆☆
sān qīng diàn
さんせいでん／サァンチィンディエン

道教の最高神をまつった三清殿。三清とは、元始天尊の「玉清天」、太上道君の「上清天」、太上老君の「太清天」を指す。ここ蓬莱閣の三清殿は、唐代の開元年間（713～741年）に建てられ、明の隆慶年間（1567～1572年）に重修された。

呂祖殿／吕祖殿★☆☆
lǚ zǔ diàn
ろそでん／リュウチュウディエン

八仙のひとりで、唐末、宋初の道士の呂洞賓をまつる呂祖殿。人びとの願いをかなえる仙人として親しまれ、とくに煙台地方で形成された道教の全真教で信仰されてきた。この呂祖殿は清代の1877年に建てられた。

蘇公祠／苏公祠★☆☆

sū gōng cí

そこうし／スウゴォンツウ

宋代を代表する文人である蘇東坡（1036～1101年）は、1085年に登州太守に任じられている。蘇東坡は青島あたりから山東半島をまわって着任したが、朝廷から召還されてわずか5日で登州から去った。しかし、「登州海市（蜃気楼）」と「蓬萊閣」を紹介し、「海市」（東方雲海空復空／群仙出没空明中）という詩を残している。蘇公祠は明代の1578年に建てられたもので、そばには八角二層の「賓日楼」、1868年に修建された灯台の「普照桜」が立つ。

蓬莱閣／蓬莱阁★★☆

péng lái gé

ほうらいかく／ペェンラァイガア

丹崖山の頂部、眼下に長島（廟島群島）をのぞむ絶好の位置に立つ蓬莱閣主閣。北宋の1061年、登州郡守の朱処約によって建てられ、明清時代にいくども修築された。長さ13.75m、奥行き8.55m、緑色の屋根瓦でふかれた二層の楼閣で、四周を回廊がめぐり、北側に渤海が広がる。八仙（八仙過海）はこの蓬莱閣の崖下から東海に繰り出したと言われ、黄鶴楼、岳陽楼、滕王閣とならぶ名楼にあげられる。また丹崖山下からは、蓬莱閣と断崖が一体となった美しいたたずまいも見られる。

海を渡る八仙

中国の民間信仰で人びとに福をもたらす8人の仙人。呂洞賓をはじめとするこれら八仙が、蓬莱閣の下の洞窟に集まって酒宴を開いたとき、渤海にある三神山へ遊びに行くことに決まった。扇子を布団のようにした「漢鍾離」、1本の花を船代わりにした「荷仙姑」というように、八仙はそれぞれの仙術を使って海を渡っていった。この八仙の中心人物である呂洞賓は、全真教（道教の一派）で信仰を受け、その創始者である王重陽は蓬莱（登州）と近郊で全真教の教義を形成した。

避風亭／避风亭★☆☆

bì fēng tíng

ひふうてい／ビイフェンティン

蓬莱閣主閣に隣接し、古建築群のなかでも特徴ある建物の避風亭。明代の1513年に修建されたもので、建物の三面に窓がない。さらに渤海側の北面は、背の低い外壁で風をふせいでいるため、亭内の蝋燭は海風が吹いても消えないという。

田横山／田横山★☆☆

tián héng shān

でんおうさん／ティエンハァンシャン

蓬莱閣の北西に立ち、老北山とも呼ばれる田横山。ここは漢初期、韓信（～紀元前196年）が斉を破ったとき、斉王田横が500人を率いて逃れてきた場所だと伝えられる。地面から20m離れた全長220mの「田横桟道」が残るほか、「黄海渤海分界線」も位置する（厳密には、この場所から西側が渤海、東側が黄海）。また田横山下から廟島群島の長島への船が出る。

この海を渡って小野妹子は中国へやってきた

方士たちが説いた不老不死の薬、仙人たちの世界へ

丹崖山の断崖上に立つ蓬莱閣

「弥陀寺」「龍王宮」「天后宮」「三清殿」「呂祖殿」「蓬莱閣」が六大建築

Peng Lai Shui Cheng

蓬莱水城鑑賞案内

1368年に建国された明は
中国の海岸線に防御拠点をおき、軍船を製造した
蓬莱水城はそのとき以来の軍事要塞

蓬莱水城／蓬莱水城★★☆

péng lái shuì chéng

ほうらいすいじょう／ペェンラァイシュイチャァン

蓬莱閣のある丹崖山麓、渤海にのぞむ海岸部に立つ蓬莱水城。明清時代の海軍要塞で、海辺を荒らす倭寇に備える城という意味で「備倭城」ともいった。画河がちょうど海に入るこの地は、古くは登州港があった場所だとされ、宋代の1042年、北方の遼への防御のために要塞が建設された（廟島群島を通じて、山東半島へ上陸しないようにするため）。小海に刀魚巡検をもうけ、水兵300人が防衛にあたり、タチウオ（刀魚舡）のように細長い軍船がならんだ姿から、この要塞は「刀魚塞」と名づけられた。明代に入り、倭寇の浸入が激しくなると、登州衛刀魚塞のあった場所に、1376年、巨大な軍事要塞の蓬莱水城が築かれた。倭寇討伐で功績をあげた戚継光（〜1587年）は、登州出身で、戚継光の水軍はこの地で閲兵したという。1596年、石や磚（レンガ）をもちいて整備されたことで、現在のたたずまいとなり、蓬莱水城の城壁は高さ7m、幅8mで周囲は2200mにおよぶ。渤海と城内を軍船が出入りすることのできた水門をもつ北門を天橋口、関門口と呼び、南門を振揚門と呼んだ。

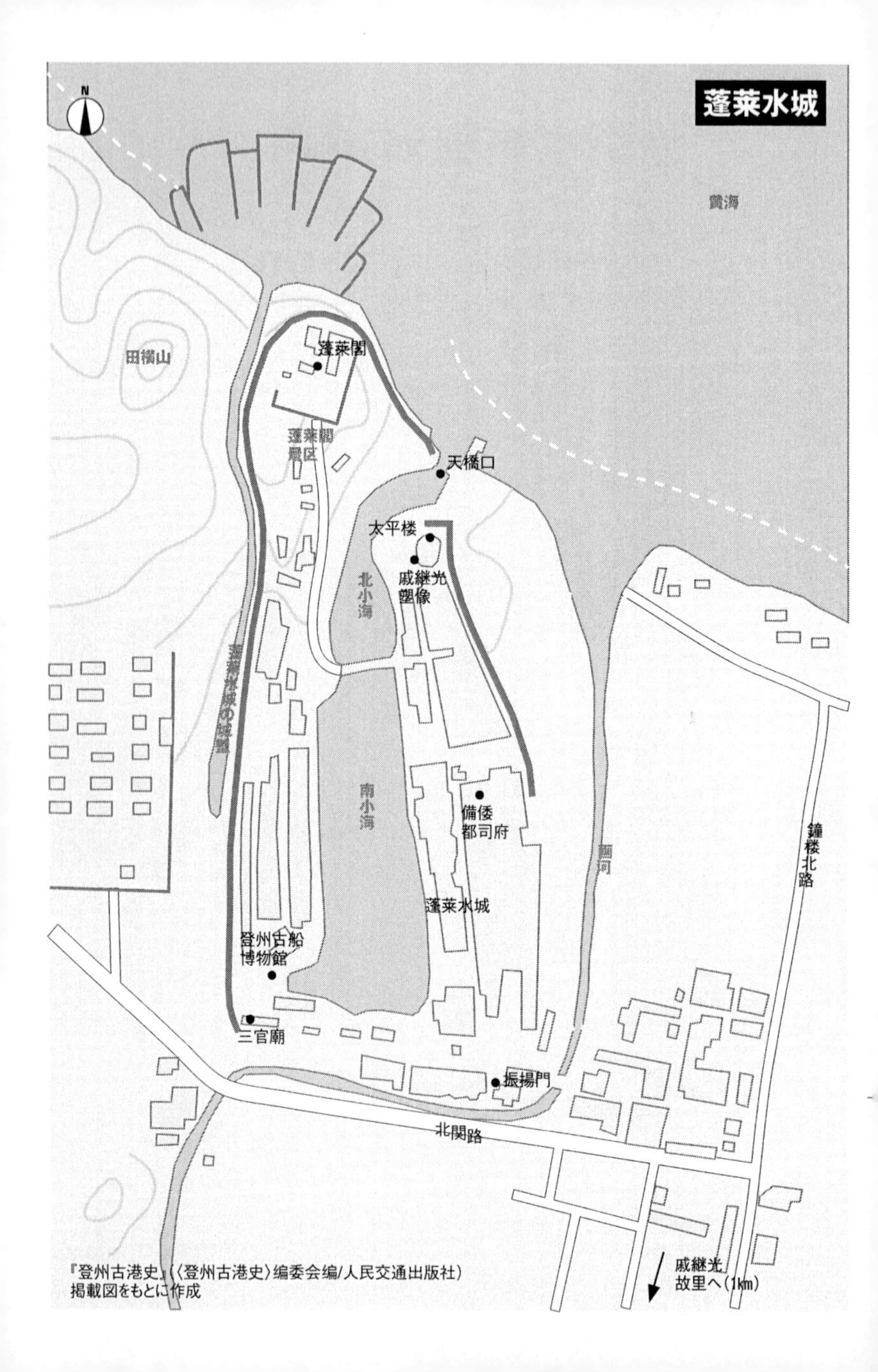
蓬莱水城
黄海
田横山
蓬莱閣
蓬莱閣景区
天橋口
太平楼
戚継光
塑像
北小海
南小海
備倭
都司府
蓬莱水城
登州古船
博物館
三官廟
振揚門
北関路
鐘楼北路
戚継光
故里へ（1km）
『登州古港史』（〈登州古港史〉编委会编/人民交通出版社）
掲載図をもとに作成

蓬萊水城の構成

蓬萊閣の立つ丹崖山が蓬萊水城の北西側の防御壁となり、それを包括するように城壁がめぐる。灯楼、砲台、平浪台、小海(港湾)、碼頭、水閘、護城河といった水城にふさわしいたたずまいを残し、北門(天橋口)が海に、南門(振揚門)が陸地へと通じた。この蓬萊水城の入口付近には民族英雄の「戚継光塑像」が立ち、その北側には中国船舶発展陳列館の「太平楼」が位置する。蓬萊水城中央部に登州古港の「小海」が広がり、その東には蓬萊水城を管轄する行政機関がおかれた(衛兵像が門前に立つ「備倭都司府」、玉皇大帝をはじめとする道教の神さまのまつられた「三官廟」が小海をとり囲むように位置する)。また、この地からは元代のものと見られる一隻の古船(蓬萊古船)が出土したこともあり、登州の古船を展示する「古船博物館」も開館している。

戚継光故里/戚继光故里★☆☆

qī jì guāng gù lǐ

せきけいこうこり/チイジイグゥアングウリイ

明代の英雄、戚継光(～1587年)は、登州衛(山東省蓬萊県)に生まれた。代々、武人の家柄に育ち、父の後をついで山東の都指揮僉事となって倭寇討伐に成果をあげた。戚継光故里は、この戚氏一族が暮らした場所で、三進式四合院の住居で、明代の様式をもつ。1565年、戚継光をたたえて建てられたふたつの牌坊が知られ、東を「母子節孝坊」、西を「父子総督坊」と呼ぶ。現在の戚継光故里は、明末の

★★★

蓬萊閣景区/蓬莱阁景区 ペェンラァイガアジィンチュウ

★★☆

蓬萊水城/蓬莱水城 ペェンラァイシュイチャァン

蓬萊閣/蓬莱阁 ペェンラァイガア

★☆☆

田横山/田横山 ティエンハァンシャン

1635年に整備され、「戚府」「兵器館」「止止堂」などが見られる。

多くの観光客が訪れる蓬莱閣

海に向かって立つ八仙の像

城壁をめぐらせた要塞の蓬莱水城

蓬莱市街、山東省有数の人気観光地でもある

Ba Xian Guo Hai

八仙過海鑑賞案内

渤海を超えて東方へ向かったという
8人の仙人の逸話「八仙過海」
八仙過海景区はその故事をもとに整備された

渤海／渤海★☆☆

bó hǎi
ぼっかい／ボオハァイ

渤海は南の山東半島と、北の遼東半島に囲まれた内海で、黄河が流れ込むことから、古くから中国の「海」そのものを意味するほどに知られてきた（当初は「勃海」と表記し、「勃」とは海が陸地に食い込んだ地形を意味する）。春秋戦国時代、斉や燕の方士たちはこの渤海でときおり見える蜃気楼を、神仙の棲む蓬莱、瀛洲、方丈の三神山だと考えた。北から渤海、黄海、東海、南海と続く中国の四海のうち、蓬莱閣の立つ丹崖山そばが正式な渤海と黄海の境目で、そこから西が渤海、東が黄海となる。

八仙過海景区／八仙过海景区★☆☆

bā xiān guò hǎi jǐng qū
はっせんかかいけいく／バアシィアングゥオハァイジィンチュウ

福をもたらすとして、中国民衆の信仰を集める八仙（8人の仙人）。八仙が東海の彼方へ渡ったという故事をもとに、その舞台となった蓬莱に八仙過海景区が整備された。八仙過海景区は海上に浮かび、そこへかかる長さ65mの「八仙橋」、唐の李世民が蜃気楼を見たことにちなむ「仙源楼」、水上に浮かぶ四層の「望瀛楼」、八仙をまつる正殿

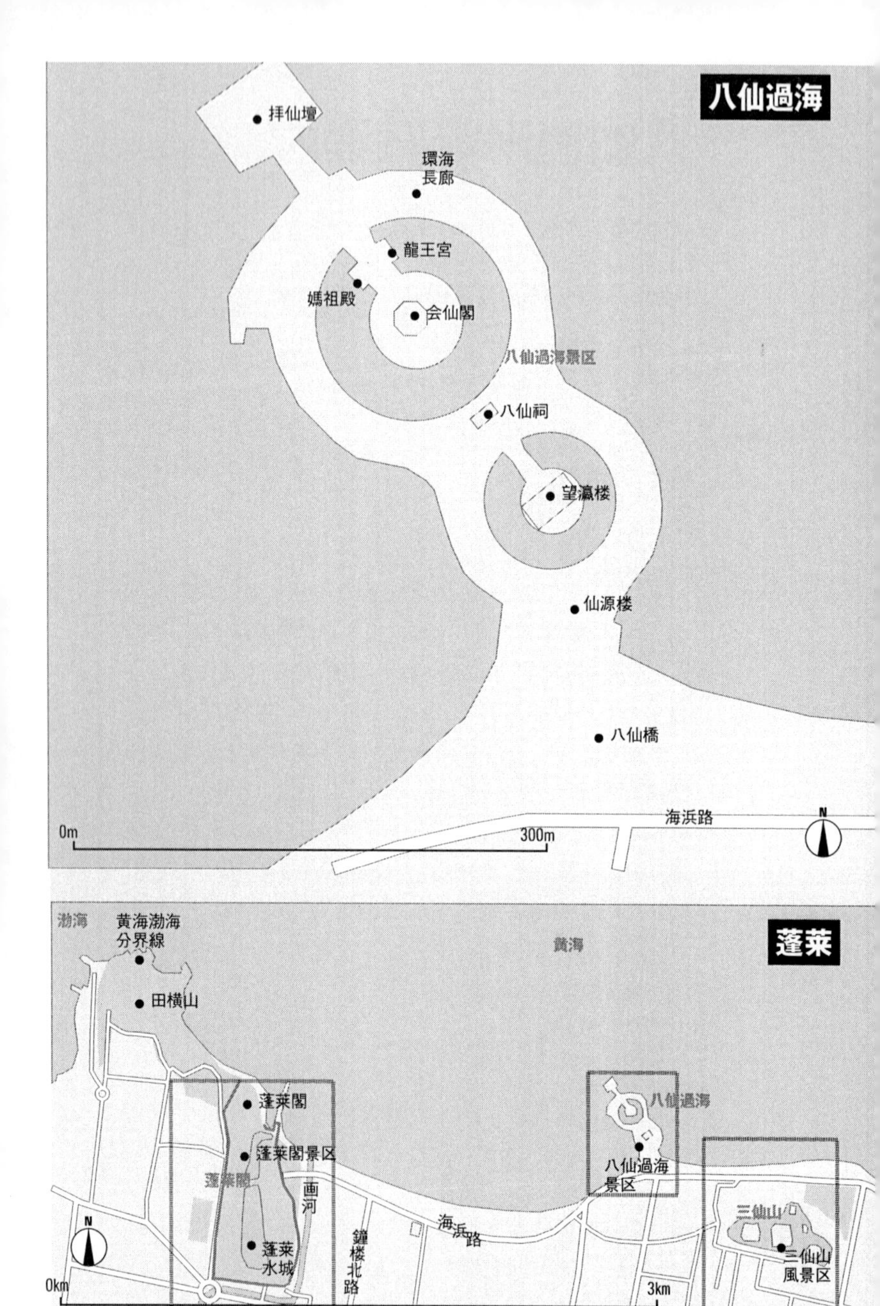
八仙過海
拝仙壇
環海長廊
龍王宮
媽祖殿
会仙閣
八仙過海景区
八仙祠
望瀛楼
仙源楼
八仙橋
海浜路
0m
300m
N
渤海
黄海渤海分界線
黄海
蓬莱
田横山
蓬莱閣
蓬莱閣景区
蓬莱閣
画河
蓬莱水城
鐘楼北路
海浜路
八仙過海
八仙過海景区
三仙山
三仙山風景区
N
0km
3km

の「八仙祠」、長さ400mで渤海をのぞむ「環海長廊」、仙人に祈るための「拝仙壇」、天后をまつった「媽祖殿」、雨乞いの神さまの「龍王宮」、高さ42mの「会仙閣」が位置する。

八仙とは

楽器や武器を手にしてにぎやかな雰囲気で、絵画、戯曲、小説などで庶民に親しまれてきた八仙。八仙こと8人の仙人は、王族や将軍、巫女、乞食、書生などを出自とし、民間信仰として唐宋から知られ、元、明代に定着した。とくに明代に成立した『東遊記(西遊記とは別物)』は、八仙のひとり呂洞賓を主人公とし、東海を渡り、龍王や天兵と戦う「八仙過海」の話が描かれている。この八仙は日本の七福神ともくらべられ、台湾やその他の場所でひとり抜けて7人が海を渡ったという逸話も語られる(日本の七福神は、室町時代に竹林七賢をもとに成立した)。

★★★
蓬莱／蓬莱 ペェンラァイ
蓬莱閣景区／蓬莱阁景区 ペェンラァイガアジィンチュウ

★★☆
蓬莱閣／蓬莱阁 ペェンラァイガア
蓬莱水城／蓬莱水城 ペェンラァイシュイチャァン
三仙山風景区／三仙山风景区 サァンシィアンシャンフェンジィンチュウ

★☆☆
八仙過海景区／八仙过海景区 バアシィアングゥオハァイジィンチュウ
渤海／渤海 ボオハァイ
田横山／田横山 ティエンハァンシャン

望瀛楼と高さ42mの会仙閣が見える、八仙過海景区

皇帝たちは仙人たちの棲む世界を夢見た

入口から入って目の前に立つ蓬莱仙島

方壷勝境とその奥にそびえる瀛洲仙境

蓬萊仙境

San Xian Shan

三仙山鑑賞案内

人と山からできている「仙」という文字
仙人は山岳信仰と結びついて信仰されてきた
蓬莱・方丈・瀛洲の三仙山を模した三仙山風景区

三仙山風景区／三仙山风景区★★☆

sān xiān shān fēng jǐng qū

さんせんざんふうけいく／サァンシィアンシャンフェンジィンチュウ

「海中に三仙山あり、蓬莱・方丈・瀛洲という」。蓬莱では渤海上の蜃気楼がたびたび見られ、古くからこの地方の方士たちは、それ（海市＝蜃気楼）こそ仙人の暮らす三仙山で、そこには不老不死の薬があると信じられていた（人が近づくと遠ざかり、船で近づこうとしても亀の背に載っているから沈んでしまうという）。『史記』の記述では、徐福が蓬莱山で霊芝にかこまれた宮殿楼閣を見て、仙界の使者と出会い、銅の色で龍のかたちをした光が天まで立ちのぼっていたという。こうした伝説に魅せられたのが秦の始皇帝や漢の武帝らで、話を聞いた始皇帝は、徐福を3千人の少年少女とともに旅立たせたが、徐福はそのまま帰ってこなかったという。蓬莱山の物語は、海の向こうにある蓬莱山（竜宮城）を求めた浦島太郎の物語にも影響をあたえるなど、日本にも古くから伝わっている。蓬莱三仙山風景区は、こうした故事、伝説をもとに新たに造営されたもので、渤海に向かって蓬莱の岸辺に立つ。

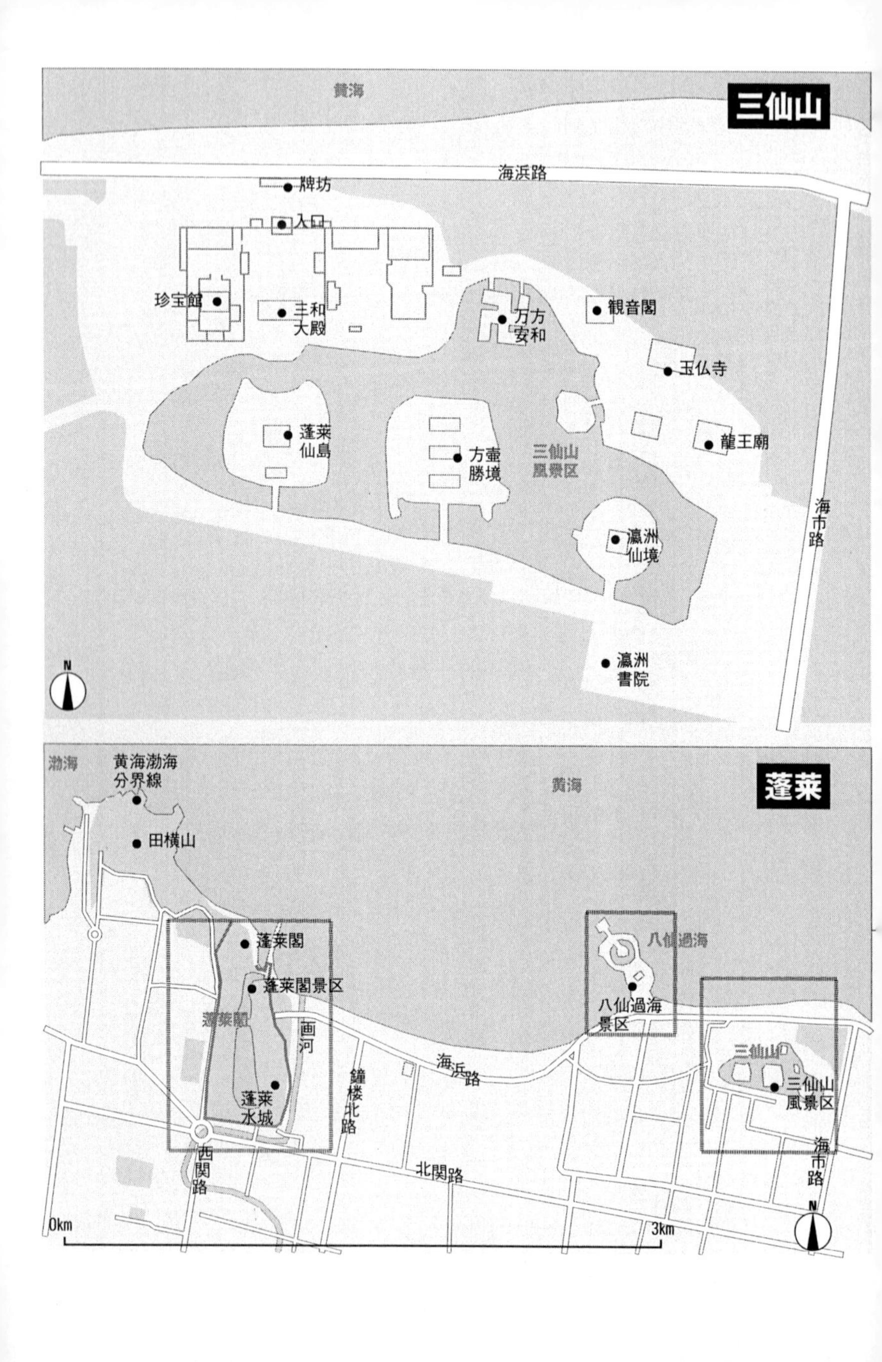
三仙山
黄海
海浜路
牌坊
入口
珍宝館
三和
大殿
万方
安和
観音閣
玉仏寺
蓬莱
仙島
方壷
勝境
三仙山
風景区
龍王廟
瀛洲
仙境
海
市
路
瀛洲
書院
蓬莱
渤海
黄海渤海
分界線
黄海
田横山
蓬莱閣
八仙過海
蓬莱閣景区
八仙過海
景区
蓬莱閣
画
河
海
浜
路
三仙山
三仙山
風景区
鐘
楼
北
路
蓬莱
水城
西
関
路
北関路
海
市
路
0km
3km

三仙山風景区の構成

三仙山をかたどった金色の壮大な建築の「蓬莱仙島」「方壷勝境」「瀛洲仙境」が三仙山風景区の中心にそびえる。その周囲に孔子、老子、ブッダをまつった「三和大殿」、玉、揚州漆器、家具などを展示する「珍宝館」、四書五経をおさめる「瀛洲書院」、この地方の漁民に信仰されてきた龍王をまつる「龍王廟」、高さ12.86mの白玉製臥仏を安置する「玉仏寺」、蓮花に載る高さ11m、重さ260トンの十一面観音をまつった「観音閣」、卍字型の建築プランをもつ「万方安和」などが位置する。

蓬莱仙島／蓬莱仙岛★☆☆

pēng lái xiān dǎo

ほうらいせんとう／ペェンラァイシィアンダァオ

海上に浮かぶ三仙山のうち、もっとも西に位置する蓬莱仙島。清朝時代に描かれた袁耀『蓬莱仙境図』をもとに建設された。1階に仏教の観音菩薩と道教の慈航道人、2階に千手観音、3階に道教始祖の張道陵と王重陽、4階に蓬莱の女仙人になったという麻姑、5階に西王母、6階に

★★★

蓬莱／蓬莱 ペェンラァイ

蓬莱閣景区／蓬莱阁景区 ペェンラァイガアジィンチュウ

★★☆

三仙山風景区／三仙山风景区 サァンシィアンシャンフェンジィンチュウ

蓬莱閣／蓬莱阁 ペェンラァイガア

蓬莱水城／蓬莱水城 ペェンラァイシュイチャァン

★☆☆

蓬莱仙島／蓬莱仙岛 ペェンラァイシィアンダァオ

方壺勝境／方壶胜境 ファンフウシェンジィン

瀛洲仙境／瀛洲仙境 イィンチョウシィエンジィン

八仙過海景区／八仙过海景区 バアシィアングゥオハァイジィンチュウ

渤海／渤海 ボオハァイ

田横山／田横山 ティエンハァンシャン

最高主宰神である玉皇大帝がまつってある。

方壺勝境／方壶胜境★☆☆

fāng hú shèng jìng

ほうこしょうきょう／ファンフウシェンジィン

三仙山のちょうど中央に位置する方壺勝境では、儒教、道教、仏教の三大宗教を合一思想が表現されている。最初の建築群（第1組）は儒教のもので孔子をまつった「大成殿」、続いて（第2組）道教の原始天尊、霊宝天尊、道徳天尊を安置した「三清殿」、最後（第3組）にブッダをまつる「大雄宝殿」が位置する。

瀛洲仙境／瀛洲仙境★☆☆

yíng zhōu xiān jìng

えいしゅうせんきょう／イィンチョウシィエンジィン

三仙山のもっとも東側に立つ瀛洲仙境。元代の書画家趙孟頫の『十八学士登瀛洲図』をもとに建てられた。孔子、孟子、荀子、董仲舒、朱熹がまつられ、儒教の礼楽で使う酒器も安置されている。

廟島群島の南長山島は蓬莱からも目視できるほどの近さ

渤海を往来して人、もの、文化が運ばれた

Peng Lai Jiao Qu

蓬莱郊外城市案内

遼東半島に向かって伸びる廟島群島
萊国以来の伝統をもつ龍口
蓬莱郊外への旅

廟島群島／庙岛群岛★☆☆

miào dǎo qún dǎo

びょうとうぐんとう／ミィアオダァオチュンダァオ

北の遼東半島と南の山東半島がせまり、渤海湾がもっともせまくなった地点、蓬莱から遼東半島に向かって続く廟島群島。廟島群島は、古期山脈が陥没したことで形成されたといい、南、中、北の３つの群島からなり、大小18の島および多くの岩礁からなる。群島は南北72.2kmに渡り、晴天の日には最北端の北隍城島から旅順の老鉄山角が見えるという。隣の陸地を目視できることから、古くから中国、遼東半島、朝鮮半島、日本を結ぶ交通路となってきた。山東龍山文化の痕跡が遼東半島でも確認され、山東半島と大連の言葉の発音に類似性が認められるという（晋の司馬懿仲達は、遼東征伐にあたって、登州から廟島群島をたどって旅順にいたった）。

南長山島／南长山岛★☆☆

nán zhǎng shān dǎo

みなみちょうざんとう／ナァンチャアンシャンダァオ

廟島群島のうち、もっとも山東半島の蓬莱に近い南長山島。宋代の1122年の創建で、この地方の海神信仰の中心地「天后宮（顕応宮）」、廟島群島の民俗や文化を紹介する

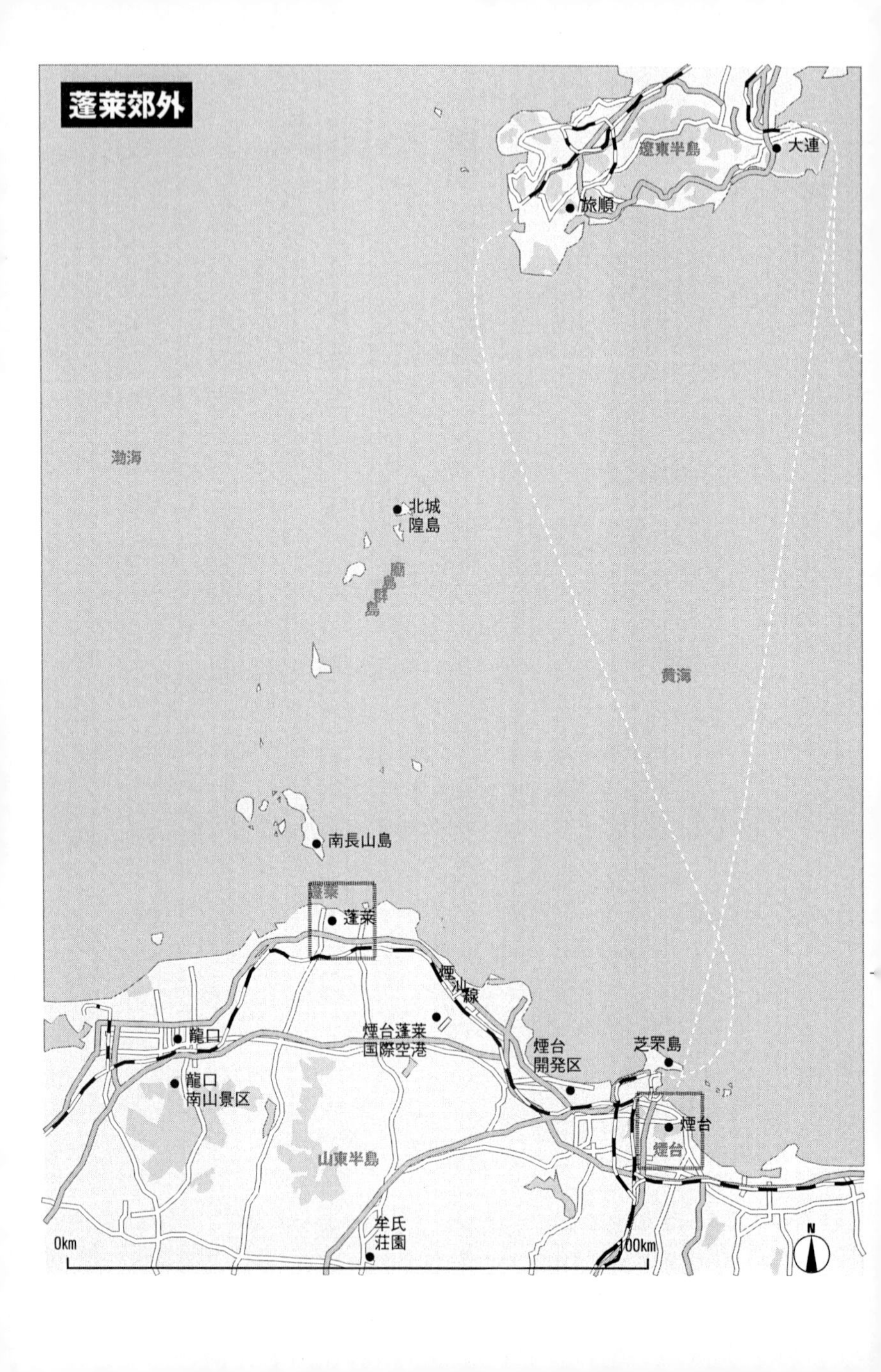
蓬莱郊外
遼東半島
大連
旅順
渤海
北城
隍島
黄海
南長山島
蓬莱
蓬莱
煙山線
龍口
煙台蓬莱
国際空港
煙台
開発区
芝罘島
龍口
南山景区
煙台
煙台
山東半島
牟氏
荘園
0km
100km
N

「長島歴史博物館」、島の南端に立つ「黄海渤海交匯線標志」などが位置する(南長山島は、紀元前393年に斉の康王が流された場所ともされ、その墓と目される遺構も残る)。現在、長島旅游風景区として整備されているほか、周囲は漁業が盛んで、水産資源を豊富に有する。

龍口/龙口★☆☆

lóng kǒu

りゅうこう/ロォンコォウ

龍口は、古く東夷の住む莱国の都で、伝説の黄帝もここで活動したと言われる。この莱国の中心は、龍口帰城にあり、莱国の人びとは月主を信仰していた。紀元前567年、斉が莱国などを滅ぼし、膠東半島を統一し、その後、田氏は一族の食邑をこの地に定めた(滋味や水質の良さで知られた)。以後、山東半島北岸の中心地であったが、唐代に登州に行政府が遷ると、ジャンク船貿易の中継地となった。近代に入ると、龍口海岸部には漁村が点在していたが、1914年、中国が自ら互市場に指定し、港湾都市として発展した(営口に出稼ぎする苦力が集まった)。また第一次世界大戦中の1914年9月2日、青島攻略を目指す日本軍が、この龍口から山東半島に上陸している。

★★★

蓬莱/蓬莱 ペェンラァイ

★★☆

芝罘島/芝罘岛 チイフウダァオ

★☆☆

廟島群島/庙岛群岛 ミィアオダァオチュンダァオ

南長山島/南长山岛 ナァンチャアンシャンダァオ

龍口/龙口 ロォンコォウ

龍口南山景区/龙口南山景区 ロォンコォウナァンシャンジィンチュウ

棲霞牟氏荘園/栖霞牟氏庄园 チイシィアモォウシイチュゥアンユゥエン

渤海/渤海 ボオハァイ

煙台経済技術開発区/烟台经济技术开发区 イェンタァイジィンジイジイシュウカァイフゥアチュウ

龍口南山景区／龙口南山景区★☆☆

lóng kǒu nán shān jǐng qū

りゅうこうなんざんけいく／ロォンコォウナァンシャンジィンチュウ

唐代の古刹南山禅寺はじめ、古くから仏教文化が息づいてきた龍口南山。龍口南山景区は、宗教と歴史をテーマとした複合景区で、唐代の627年に建てられた「南山禅寺」、重さ380トン、高さ38.66mの巨大大仏「南山大仏」、八角形の５つの五方五仏殿が立つ「華厳世界」、三星殿、関聖殿などからなる「南山道院」が位置する。

棲霞牟氏荘園／栖霞牟氏庄园★☆☆

qī xiá móu shì zhuāng yuán

せいかむししょうえん／チイシィアモォウシイチュゥアンユゥエン

牟氏荘園は、蓬莱南55kmの棲霞に残る山東省最大の地主荘園。清代の1736年に建てられた建築群で、ここに牟氏とその一族、使用人が暮らした。清代には5500もの部屋があったとされ、四合院様式の建物が連続する様子から「民間の小故宮」とも言われる。建物の保存状態もよく、調度品、彫刻などが展示されている。

Wei Hai

威海城市案内

山東半島の先端部を膠東半島と呼び
その東北端に位置する威海
かつては威海衛の名前で知られた

威海／威海★☆☆

wēi hǎi

いかい／ウェイハァイ

黄海に突き出した膠東半島の東北先端部に位置する威海(威海衛)。春秋戦国、秦漢時代には知られた海運の中継地で、停泊する船の灯火で夜も明るかったことから呼ばれた「不夜城」(また海が昼のように光っていたからだともいう)は威海あたりにあった。明代の1398年、煙台と同じように倭寇対策のための衛(軍営)がこの地に設けられ、軍人を駐屯させて「威海衛」と名づけられた。威海衛という名称は、「威震海上(威勢が海にとどろく)」に由来する。近代に入った1888年、この威海衛の沖合に浮かぶ劉公島に、清朝北洋海軍の拠点がおかれ、軍事上の要衝となった。日本軍が威海衛を占領し、北洋海軍を殲滅した1894～95年の日清戦争のとき、大連、旅順を獲得したロシアに対抗するため、その対岸にあたる威海衛をイギリスが獲得した1898～1930年の租界時代、と威海衛をめぐって列強の思惑が交錯する時代もあった(威海衛は、煙台、青島に続いて開港された)。中華人民共和国成立後の1951年、威海衛から威海と改称され、現在は住環境のよい街として知られている。

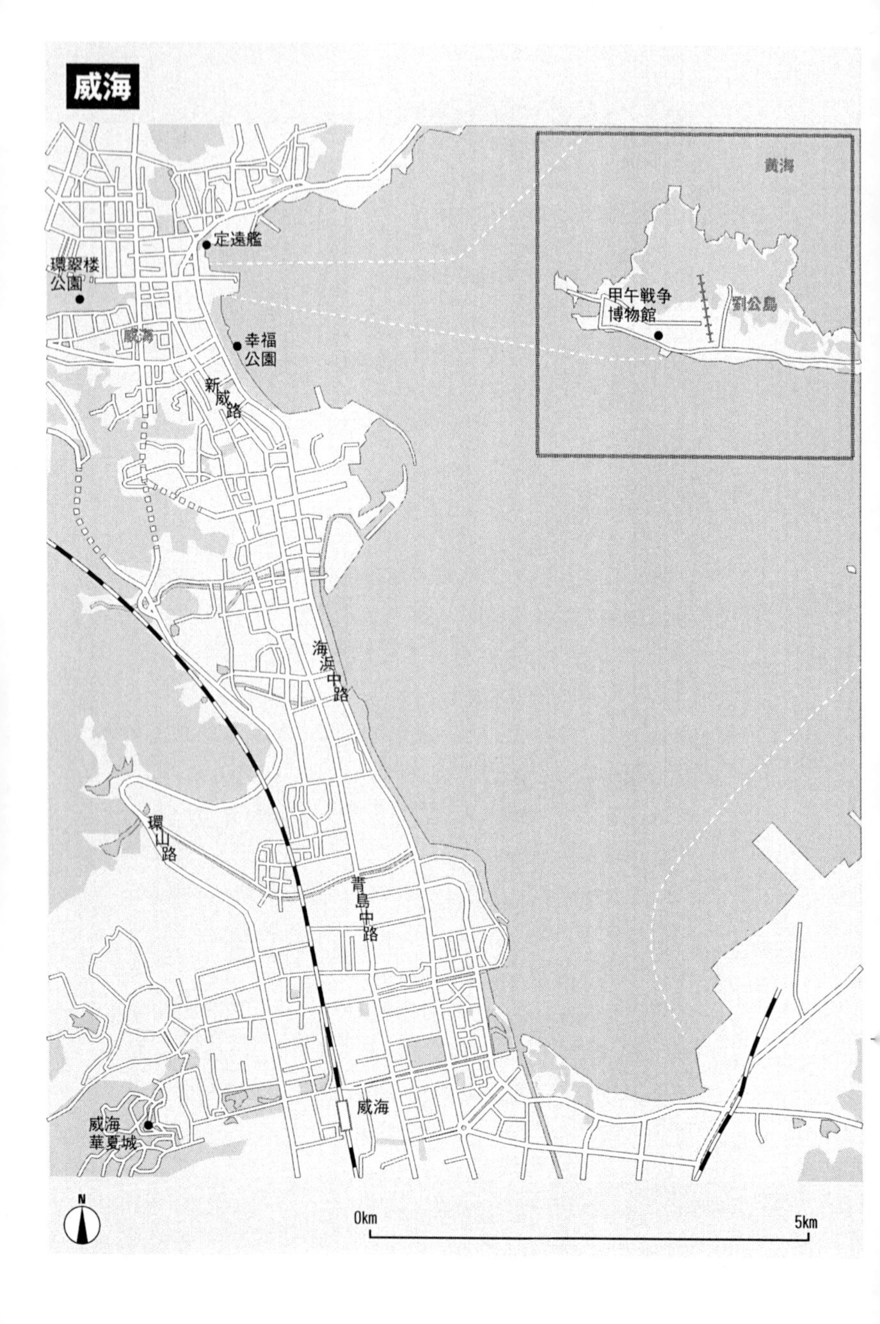
威海
黄海
定遠艦
環翠楼
公園
甲午戦争
博物館
劉公島
威海
幸福
公園
新威路
海浜中路
環山路
青島中路
威海
威海
華夏城
N
0km
5km

定遠艦／定远舰★☆☆

dìng yuǎn jiàn

てんえんかん／ディンユゥエンジィエン

定遠は、清朝の依頼を受けて、1881年にドイツでつくられた近代アジア最高の軍艦。鎮遠とともに清朝北洋海軍の主力として恐れられていた。長さ94.5m、幅18m、吃水6mという船体で、排水量7670トン、6200馬力を誇り、主砲30.5cm砲は射程4000mを超したという。1894～95年の日清戦争の黄海海戦で敗れたあと、威海衛に帰還したが、日本軍の攻撃で戦闘不能となった。定遠艦はこの定遠が再現されたもので、黄色地に龍の描かれた清朝の国旗「黄龍旗」がたなびく。海軍兵が居住した部屋、レストランや中国式の厨房などが再現されている。

幸福公園／幸福公园★☆☆

xìng fú gōng yuán

こうふくこうえん／シィンフウゴォンユゥエン

威海の海岸沿いに広がる南北1566m、東西137mの幸福公園。高さ45m、幅42mの門型建築「幸福門」、「威海連接四海」などのモニュメントが見られる。

環翠楼公園／环翠楼公园★☆☆

huán cuì lóu gōng yuán

かんすいろうこうえん／フゥアンツゥイロォウゴォンユゥエン

西に蒼山、東に紺碧の海をひかえ、四周、翠に囲まれて

★★☆

劉公島／刘公岛 リィウゴォンダァオ

甲午戦争博物館（北洋海軍提督署）／甲午战争博物馆 ジィアウウヂャアンヂェンボオウウグゥアン

★☆☆

威海／威海 ウェイハァイ

定遠艦／定远舰 ディンユゥエンジィエン

幸福公園／幸福公园 シィンフウゴォンユゥエン

環翠楼公園／环翠楼公园 フゥアンツゥイロォウゴォンユゥエン

威海華夏城／威海华夏城 ウェイハァイフゥアシィアチャアン

いることから、名づけられた環翠楼公園。ここには元、明時代に倭寇から守るための防御城がおかれていた。明代に建てられたのち、1978年に再建された三層、高さ16.8mの「環翠楼」、「環翠書院」、「民族風情街」が位置するほか、北洋海軍の将であった「鄧世昌の像」も立つ。

威海華夏城／威海华夏城★☆☆

wēi hǎi huá xià chéng

いかいかかじょう／ウェイハァイフゥアシィアチャァン

中国古代王朝の夏を主題としたテーマパークの威海華夏城。「華夏第一牌楼」からなかに入ると、南北古建築をあわせた「夏園」、唐代にあった古刹を再現した「太平寺」、東海龍王をまつる「龍王廟」、蓮のうえに立つ金色の「三面聖水観音」、高さ31.8mの「華夏閣」などが位置する。また「神遊華夏」をはじめとするパフォーマンスも見られる。

麺を打つ人に出合った

黄海の海戦でも知られるこの海は日清戦争の舞台となった

巨大なアーチ状の屋根をもつ煙台駅

海参とはナマコのこと、膠東料理も楽しみたい

Liu Gong Dao

劉公島鑑賞案内

**1840～42年のアヘン戦争でイギリスに敗れて以後
清朝は海軍力の強化、人材の育成を強化した
威海衛劉公島はその拠点だった**

劉公島／刘公岛★★☆

liú gōng dǎo

りゅうこうとう／リィウゴォンダァオ

威海衛の沖5㎞に浮かび、天然の要害を形成する東西4.08㎞、南北1.5㎞の劉公島。後漢（25～220年）末期に、皇族劉氏が曹氏の圧迫を受け、この島に逃れてきたことから劉公島と名づけられた（江南の漁船が黄海で遭難したとき、この島に住む劉公、劉母の老夫婦に助けられたとも伝えられる）。1888年、近代中国で最初の海軍である北洋海軍が、劉公島を基地とし、約60門の砲台、電報局、水師学堂、北洋海軍提督署、鉄碼頭が築かれた。島そのものが武装化された様子から、「沈まぬ軍艦」と称された。

甲午戦争博物館（北洋海軍提督署）／甲午战争博物馆★★☆

jiǎ wǔ zhàn zhēng bó wù guǎn

こうごせんそうはくぶつかん（ほくようかいぐんていとくしょ）／ジィアウウヂャァンヂェンボオウウグゥアン

李鴻章（1823～1901年）主導で整備された近代兵器を備えた清朝最大海軍の北洋海軍。1888年に創設され、その北洋海軍提督署（水師衙門）は劉公島におかれていた。北洋海軍の司令官は、李鴻章の幕間にあった丁汝昌提督がつとめ、1894～95年の日清戦争にあたって、丁汝昌はここで指揮をとった。黄海海戦に勝利した日本軍は、黄海の制

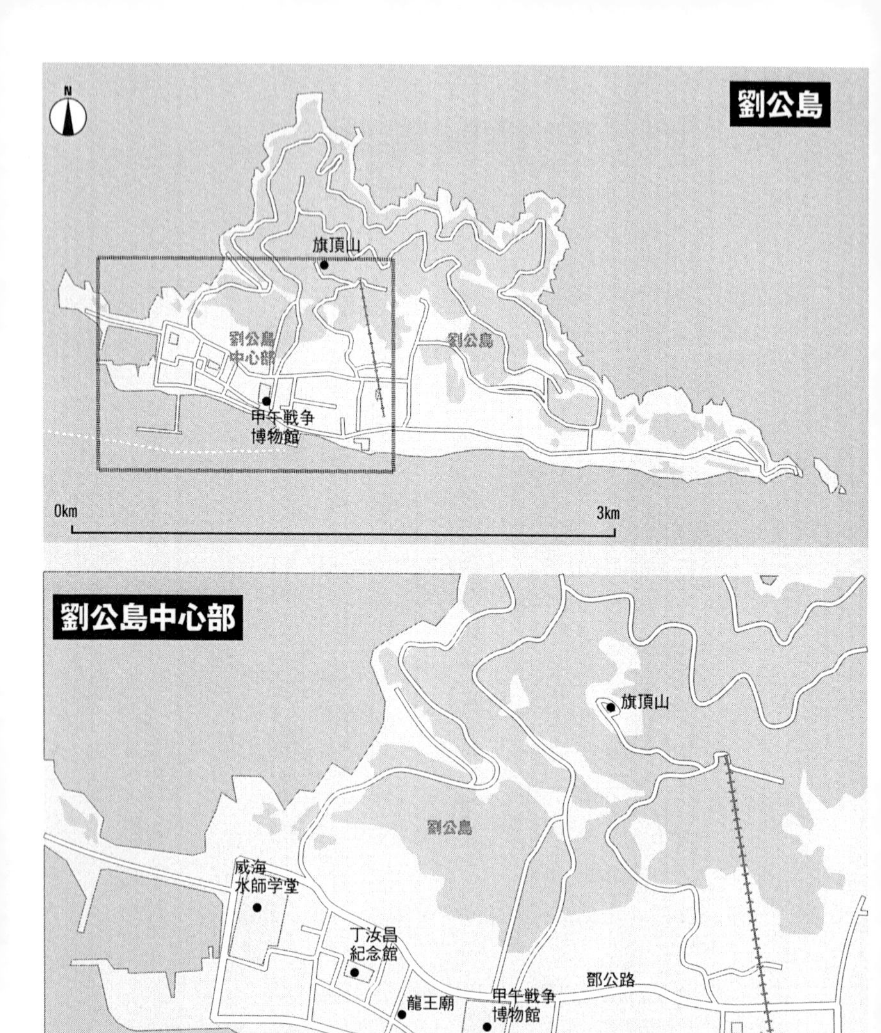

劉公島
N
旗頂山
劉公島
中心部
劉公島
甲午戦争
博物館
0km
3km
劉公島中心部
旗頂山
劉公島
威海
水師学堂
丁汝昌
紀念館
鄧公路
龍王廟
甲午戦争
博物館
博覧園
丁公路
鉄碼頭
0km
1km
N

海権をにぎり、やがて威海衛劉公島へいたると、丁汝昌は毒をあおいで自害した。日清戦争の中国側の呼称を「甲午農民戦争」といい、北洋海軍提督署は1985年以来、甲午戦争博物館となっている。中国の伝統的な四合院様式の建築様式をもつ。

龍王廟／龙王庙★☆☆

lóng wáng miào

りゅうおうびょう／ロォンワァンミィアオ

清代に建てられた海の守り神をまつる龍王廟。龍王像を中心に、その周囲には伝説や故事の描かれた壁画が見られる。また丁汝昌、張文宣（陸兵指揮官）の建てた「柔遠安迩」「治軍愛民」の碑も残る。

丁汝昌紀念館／丁汝昌纪念馆★☆☆

dīng rǔ chāng jì niàn guǎn

ていじょしょうきねんかん／ディンルウチャァンジイニィエングゥアン

北洋海軍指揮官の丁汝昌（1836～95年）邸宅跡に開館した丁汝昌紀念館。丁汝昌は清朝に反旗をひるがえした太平天国軍に参加していたが、投降して湘軍、ついで淮軍の軍人となって李鴻章の幕間に入った。1888年、北洋海軍が設立されると、その指揮をまかされ、日清戦争（1894～95年）で敗北目前となっても、降伏を拒み続け、「艦沈み人尽きて後已まんと決心せしも、衆心潰乱今や如何ともする能わず」と、李鴻章に打電して服毒自殺した。高さ3.8mの

★★☆

劉公島／刘公岛 リィウゴォンダァオ

甲午戦争博物館（北洋海軍提督署）／甲午战争博物馆 ジィアウウヂャァンヂェンボオウウグゥアン

★☆☆

龍王廟／龙王庙 ロォンワァンミィアオ

丁汝昌紀念館／丁汝昌纪念馆 ディンルウチャァンジイニィエングゥアン

威海水師学堂／威海水师学堂 ウェイハァイシュイシイシュエタァン

鉄碼頭／铁码头 ティエマアトォウ

博覧園／博览园 ボオラァンユゥエン

丁汝昌の像が立つ。

威海水師学堂／威海水师学堂★☆☆

wēi hǎi shuǐ shī xué táng

いかいすいしがくどう／ウェイハァイシュイシイシュエタァン

威海水師学堂は、北洋海軍に入隊するための教育が行なわれた海軍学校。天津、福州、広州といった港町に近代海軍学校を設立され、1889年、威海衛でも開校された。李鴻章（1823〜1901年）のもと、丁汝昌は上海や福建から学生を集めて、英語、幾何、代数などを教え、北洋海軍をになう人材を養成した。日清戦争で戦火をこうむったが、東西轅門、照壁、堞墻、小戯台、馬厩などが残る。

鉄碼頭／铁码头★☆☆

tiě mǎ tóu

てつまとう／ティエマアトォウ

北洋海軍の戦艦が停泊する港であった鉄碼頭。逆L字型の碼頭は、1891年に竣工し、大型船が入港、停泊できるように整備されていた。この鉄碼頭には、定遠、威遠、来遠といった戦艦の姿があった。

博覧園／博览园★☆☆

bó lǎn yuán

はくらんえん／ボオラァンユゥエン

博覧園は、劉公島の中央部、旗頂山南麓に位置するテーマパーク。島名の由来となった後漢の劉公にまつわる「劉公文化区」、鯨仙殿、海市蜃楼からなる「民俗文化区」、唐代に則天武后をむかえるために、地方官吏が建てたという高さ21mの「望海楼」（倭寇に破壊されたものが再現された）、イギリス租界時代をモチーフとした「英租歴史区」などからなる。

Jiao Dong Ban Dao

膠東半島城市案内

斉の八神のひとつ日神をまつる成山頭
膠東半島の先端部から黄海の先には
朝鮮半島、日本が位置する

成山頭／成山头★☆☆

chéng shān tóu
せいざんとう／チェンシャントォウ

黄海に向かって伸びる山東半島(膠東半島)の最東端を成山頭(成山角)と呼ぶ。ここは中国全土のなかでも最初に日の出を見ることのできる場所とされ、古くから「日神(太陽の神)」の儀式が行なわれるなど聖域と見なされてきた。紀元前219年と前210年に、始皇帝が成山頭を訪れ、祭祀を行なっていて、中国でもめずらしい始皇帝をまつる「始皇廟」が残る(また漢の武帝が文武官100人を連れてこの地を訪れたという)。そのほかにも、太陽神をまつる「日主祠」、海の守り神をまつる「天后宮」、海に橋をかけよと言った始皇帝の故事に由来する「秦橋遺跡」が見られる。

石島赤山風景区／石岛赤山风景区★☆☆

shí dǎo chì shān fēng jǐng qū
せきとうせきざんふうけいく／シイダァオチイシャンフェンジィンチュウ

海抜370mの赤山に立つ仏教寺院の赤山法花院跡。唐代、新羅の張宝高が創建し、朝鮮半島をのぞむ山東半島の先端に立つ(当時の山東半島には、治外法権的自治組織である新羅坊があった)。遣唐使の円仁がここ赤山法花院に滞在し、847年、赤山浦(石島)から日本に帰国するなど、中国、韓国、日

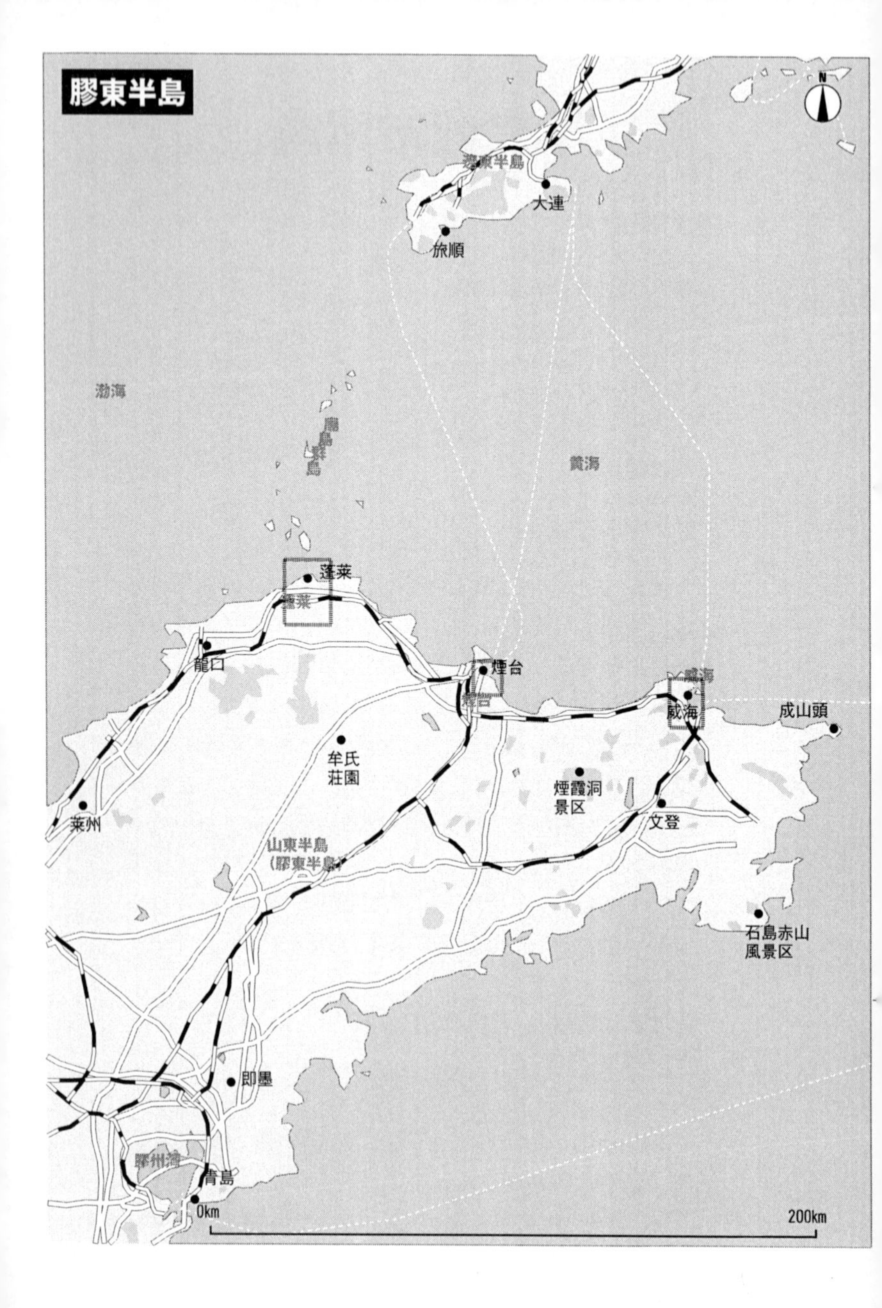

膠東半島
N
遼東半島
大連
旅順
渤海
黄海
蓬莱
龍口
煙台
威海
成山頭
牟氏
荘園
煙霞洞
景区
文登
莱州
山東半島
(膠東半島)
石島赤山
風景区
即墨
膠州湾
青島
0km
200km

本にゆかりのある場所でもある。唐代の仏教寺院を1988年に再建した「法華院」、噴水広場の「極楽菩薩界」、巨大仏教壁画が見られる「覚海慈航」、海を鎮める高さ58.8m、重さ380トンの像「赤山明神」が位置する。

★★★
蓬莱／蓬莱 ペェンラァイ

★☆☆
成山頭／成山头 チェンシャントォウ
石島赤山風景区／石岛赤山风景区 シイダァオチイシャンフェンジィンチュウ
煙霞洞景区／烟霞洞景区 イェンシィアドォンジィンチュウ
渤海／渤海 ボオハァイ
廟島群島／庙岛群岛 ミィアオダァオチュンダァオ
龍口／龙口 ロォンコォウ
棲霞牟氏荘園／栖霞牟氏庄园 チイシィアモォウシイチュゥアンユゥエン
威海／威海 ウェイハァイ

小笼包
羊汤笼包

“中国儿童生长发育健康传播行动

Machi No Utsurikawari

城市のうつりかわり

**煙台の位置する山東半島先端部は
海に面した中華世界の東の果て
神仙思想揺籃の地にして、山東省で最初の開港地**

春秋戦国〜秦漢時代（〜3世紀）

新石器時代ごろまで膠東半島は島だったといい、やがて沖積して陸続きの平野になった。煙台白石村遺跡では紀元前7000年前から人が暮らし、廟島群島を通じて山東半島と遼東半島の往来があったという。この地の人びとは、漢族からは異民族の東夷と呼ばれ、莱、紀（己）といった東夷の国があったが、やがて斉（〜紀元前379年、前386〜前221年）が山東半島を統一した。春秋戦国時代の煙台は、芝罘と呼ばれ、斉の八神の陽主がまつられていたほか、碣石（秦皇島）、琅琊、会稽（紹興）、句章（寧波）とならぶ中国五大港のひとつだった。この地方では、海や山、太陽、月など自然信仰と結びついた神仙術や方士の活動が盛んで、しばしば見える蜃気楼が神仙の棲む三神仙に見立てられてきた。紀元前221年、中華を統一した秦の始皇帝は、山東半島を訪れたとき、方士たちの説く神仙思想に魅せられた。そのとき芝罘島に秦の徳をたたえる碑を建て、徐福を東海へ派遣しているほか、秦の始皇帝に続く漢の武帝も同様に、この地に東巡して祭祀を行なっている。

隋唐～元明（6～17世紀）

隋唐時代になって海上交易が盛んになると、廟島群島から遼東半島、朝鮮半島、日本へ通じる煙台北西70㎞の登州が注目されるようになった。遣隋使として海を渡った小野妹子は、登州にその第一歩を記し、607～669年までのおよそ60年間（初期遣唐使）で、絹織物、製鉄、製紙などが登州から日本へ伝えられた。唐代以後、清代にいたるまで1000年以上の長期に渡って、登州がこの地方の中心地となり、煙台は登州に属する港町として、船舶の中継地となっていた。また元末から明代にかけて中国海岸沿いを倭寇（海賊）が跋扈したため、倭寇防衛のための軍事拠点が登州、煙台、威海衛などに設けられた。煙台という名前は、1398年に倭寇防衛対策におかれた「狼煙台」に由来する。煙台には軍人たちの暮らす奇山所があり、その北側に明代後期、漁民たちがお金を集めてつくった天后廟（大廟）があった。

清朝～近代（19～20世紀）

1856年に起きたアロー戦争は、イギリス船籍アロー号のイギリス国旗を清朝側が引き下ろしたことをきっかけに起こった戦争で、第二次アヘン戦争ともいう。アロー戦争後に結ばれた天津条約（1858年）で、煙台の開港が決まった。当初は登州が開港される予定だったが、より港湾環境で有利な登州府福山県の煙台が1861年に開港された（これを受けて、膠州半島の政治、経済、文化の中心地は、登州から煙台に遷った）。煙台山に西欧の領事館、埠頭には銀行、商社、教会がならび、西欧の文化が流入する山東省初の開港場となり、条約の文言が「芝罘」であったため、煙台ではなく、芝罘という呼称で西欧では知られた。また1875年に雲南で発生したマーガリー殺害事件後の1876年、煙台で芝罘条約が結ばれるなど、西欧による中国半植民地化の足がかりの場所でもあった。やがて遼寧省の大連(1898年)、膠東半島南側の青島(1898年)が開港されると、煙台の地位は相対的に低下した。清代から廟島群島を通じて、登州府から東北(満州)地方へ向かって移住する人は多く、近代に入ると、山東苦力が煙台港や登州港から満州に向かって出稼ぎに出ていくという姿も見られた。対岸の大連港から夜行船に乗れば、翌朝には煙台に着くなど、両者の往来は盛んだった。

現代（20世紀～）

19世紀末、煙台で中国最初のワイン工場(現在の張裕酒文化博物館)が設立され、気候の穏やかな煙台は、中国有数のワインの産地となった。1949年に中華人民共和国が樹立されると、煙台の気候が注目を集め、夏のリゾート地として発展した(鉄道で山東省の他の街と結ばれるのは遅れたものの、青島に次ぐ山東省の第2の港町となった)。20世紀後半、鄧小平による改革開放がはじまると、1984年、中国沿岸部の14都市に開発区がつくられることが決まり、煙台もそのひとつの都市であった。これを受けて、古くから往来があり、地理的に近い韓国や日本の企業が多く煙台へ進出し、また現在は、天津、大連、青島、秦皇島、威海などとともに、巨大な環渤海経済圏をつくっている。

参考文献

『葡萄酒文化：烟台』（王月鹏/山东友谊出版社）
『人间仙境・葡萄酒城：烟台』（张丛主编/山东友谊出版社）
『煙台風物志』（煙台地区出版辦公室編/山東人民出版社）
『渤海紀行：古代中国の港を求めて』（高見玄一郎/ぎょうせい）
『芝罘事情』（航業聯合協會）
『中国における国有企業の変革：張裕集団有限公司を事例に』（鄧兆武・松原敏浩・姜華・張磊/経営行動科学学会年次大会）
『上代烽燧考』（滝川政次郎/史学雑誌）
『中国近代化の開拓者・盛宣懐と日本』（久保田文次監訳/中央公論事業出版）
『中国山東省煙台旧市街所城里に関する調査研究』（李桓/日本建築学会研究報告）
『人間・始皇帝』（鶴間和幸/岩波書店）
『八仙考』（蘇英哲/近畿大学教養部研究紀要）
『東方はるかなユートピア：煙台地区出土文物精華』（山口県立萩美術館・浦上記念館編集）
『世界大百科事典』（平凡社）
OpenStreetMap
(C)OpenStreetMap contributors

まちごとパブリッシングの旅行ガイド

Machigoto INDIA , Machigoto ASIA , Machigoto CHINA

北インド-まちごとインド

001 はじめての北インド
002 はじめてのデリー
003 オールド・デリー
004 ニュー・デリー
005 南デリー
012 アーグラ
013 ファテープル・シークリー
014 バラナシ
015 サールナート
022 カージュラホ
032 アムリトサル

西インド-まちごとインド

001 はじめてのラジャスタン
002 ジャイプル
003 ジョードプル
004 ジャイサルメール
005 ウダイプル
006 アジメール(プシュカル)
007 ビカネール
008 シェカワティ
011 はじめてのマハラシュトラ
012 ムンバイ
013 プネー
014 アウランガバード
015 エローラ
016 アジャンタ
021 はじめてのグジャラート
022 アーメダバード
023 ヴァドダラー(チャンパネール)
024 ブジ(カッチ地方)

東インド-まちごとインド

002 コルカタ
012 ブッダガヤ

南インド-まちごとインド

001 はじめてのタミルナードゥ
002 チェンナイ
003 カーンチプラム
004 マハーバリプラム

005　タンジャヴール
006　クンバコナムとカーヴェリー・デルタ
007　ティルチラパッリ
008　マドゥライ
009　ラーメシュワラム
010　カニャークマリ
021　はじめてのケーララ
022　ティルヴァナンタプラム
023　バックウォーター(コッラム～アラップーザ)
024　コーチ(コーチン)
025　トリシュール

ネパール-まちごとアジア

001　はじめてのカトマンズ
002　カトマンズ
003　スワヤンブナート
004　パタン
005　バクタプル
006　ポカラ
007　ルンビニ
008　チトワン国立公園

バングラデシュ-まちごとアジア

001　はじめてのバングラデシュ
002　ダッカ
003　バゲルハット(クルナ)
004　シュンドルボン
005　プティア
006　モハスタン(ボグラ)
007　パハルプール

パキスタン-まちごとアジア

002　フンザ
003　ギルギット(KKH)
004　ラホール
005　ハラッパ
006　ムルタン

イラン-まちごとアジア

001　はじめてのイラン
002　テヘラン
003　イスファハン
004　シーラーズ
005　ペルセポリス
006　パサルガダエ(ナグシェ・ロスタム)
007　ヤズド
008　チョガ・ザンビル(アフヴァーズ)
009　タブリーズ
010　アルダビール

北京-まちごとチャイナ

001　はじめての北京
002　故宮(天安門広場)
003　胡同と旧皇城
004　天壇と旧崇文区
005　瑠璃廠と旧宣武区
006　王府井と市街東部
007　西単と市街西部
008　頤和園と西山
009　盧溝橋と周口店
010　万里の長城と明十三陵

天津-まちごとチャイナ

001 はじめての天津
002 天津市街
003 浜海新区と市街南部
004 薊県と清東陵

上海-まちごとチャイナ

001 はじめての上海
002 浦東新区
003 外灘と南京東路
004 淮海路と市街西部
005 虹口と市街北部
006 上海郊外(龍華・七宝・松江・嘉定)
007 水郷地帯(朱家角・周荘・同里・甪直)

河北省-まちごとチャイナ

001 はじめての河北省
002 石家荘
003 秦皇島
004 承徳
005 張家口
006 保定
007 邯鄲

江蘇省-まちごとチャイナ

001 はじめての江蘇省
002 はじめての蘇州
003 蘇州旧城
004 蘇州郊外と開発区
005 無錫
006 揚州
007 鎮江
008 はじめての南京
009 南京旧城
010 南京紫金山と下関
011 雨花台と南京郊外・開発区
012 徐州

浙江省-まちごとチャイナ

001 はじめての浙江省
002 はじめての杭州
003 西湖と山林杭州
004 杭州旧城と開発区
005 紹興
006 はじめての寧波
007 寧波旧城
008 寧波郊外と開発区
009 普陀山
010 天台山
011 温州

福建省-まちごとチャイナ

001 はじめての福建省
002 はじめての福州
003 福州旧城
004 福州郊外と開発区
005 武夷山
006 泉州

007　厦門
008　客家土楼

広東省-まちごとチャイナ

001　はじめての広東省
002　はじめての広州
003　広州古城
004　天河と広州郊外
005　深圳（深セン）
006　東莞
007　開平（江門）
008　韶関
009　はじめての潮汕
010　潮州
011　汕頭

遼寧省-まちごとチャイナ

001　はじめての遼寧省
002　はじめての大連
003　大連市街
004　旅順
005　金州新区
006　はじめての瀋陽
007　瀋陽故宮と旧市街
008　瀋陽駅と市街地
009　北陵と瀋陽郊外
010　撫順

重慶-まちごとチャイナ

001　はじめての重慶
002　重慶市街
003　三峡下り（重慶～宜昌）
004　大足
005　重慶郊外と開発区

四川省-まちごとチャイナ

001　はじめての四川省
002　はじめての成都
003　成都旧城
004　成都周縁部
005　青城山と都江堰
006　楽山
007　峨眉山
008　九寨溝

香港-まちごとチャイナ

001　はじめての香港
002　中環と香港島北岸
003　上環と香港島南岸
004　尖沙咀と九龍市街
005　九龍城と九龍郊外
006　新界
007　ランタオ島と島嶼部

マカオ-まちごとチャイナ

001　はじめてのマカオ
002　セナド広場とマカオ中心部
003　媽閣廟とマカオ半島南部
004　東望洋山とマカオ半島北部
005　新口岸とタイパ・コロアン

Juo-Mujin（電子書籍のみ）

Juo-Mujin香港縦横無尽
Juo-Mujin北京縦横無尽
Juo-Mujin上海縦横無尽
Juo-Mujin台北縦横無尽
見せよう！上海で中国語
見せよう！蘇州で中国語
見せよう！杭州で中国語
見せよう！デリーでヒンディー語
見せよう！タージマハルでヒンディー語
見せよう！砂漠のラジャスタンでヒンディー語

自力旅游中国Tabisuru CHINA

001　バスに揺られて「自力で長城」
002　バスに揺られて「自力で石家荘」
003　バスに揺られて「自力で承徳」
004　船に揺られて「自力で普陀山」
005　バスに揺られて「自力で天台山」
006　バスに揺られて「自力で秦皇島」
007　バスに揺られて「自力で張家口」
008　バスに揺られて「自力で邯鄲」
009　バスに揺られて「自力で保定」
010　バスに揺られて「自力で清東陵」
011　バスに揺られて「自力で潮州」
012　バスに揺られて「自力で汕頭」
013　バスに揺られて「自力で温州」
014　バスに揺られて「自力で福州」
015　メトロに揺られて「自力で深圳」

山東省と煙台

煙台
N
0km
3km

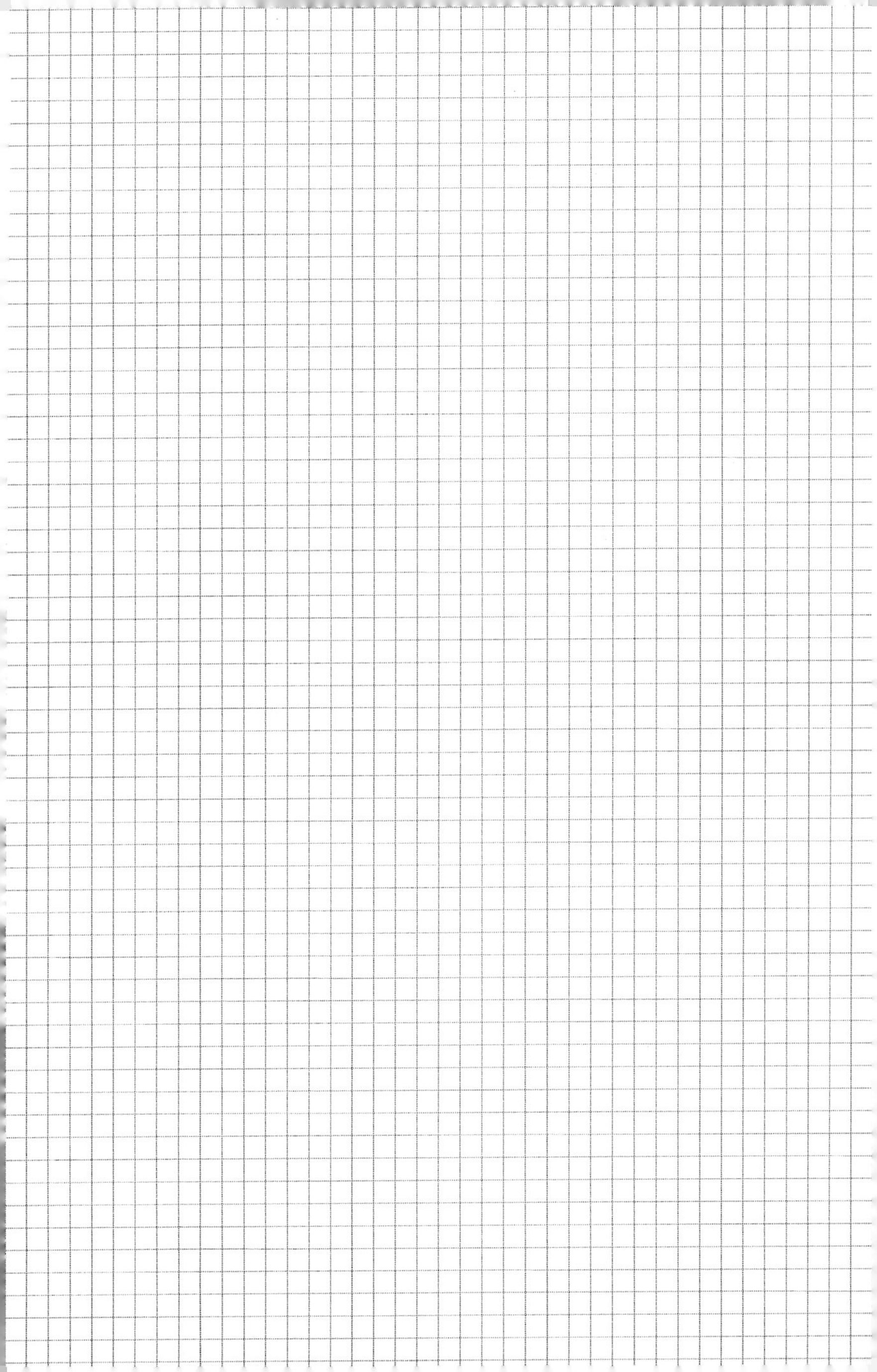

朝陽街
N
0m
500m

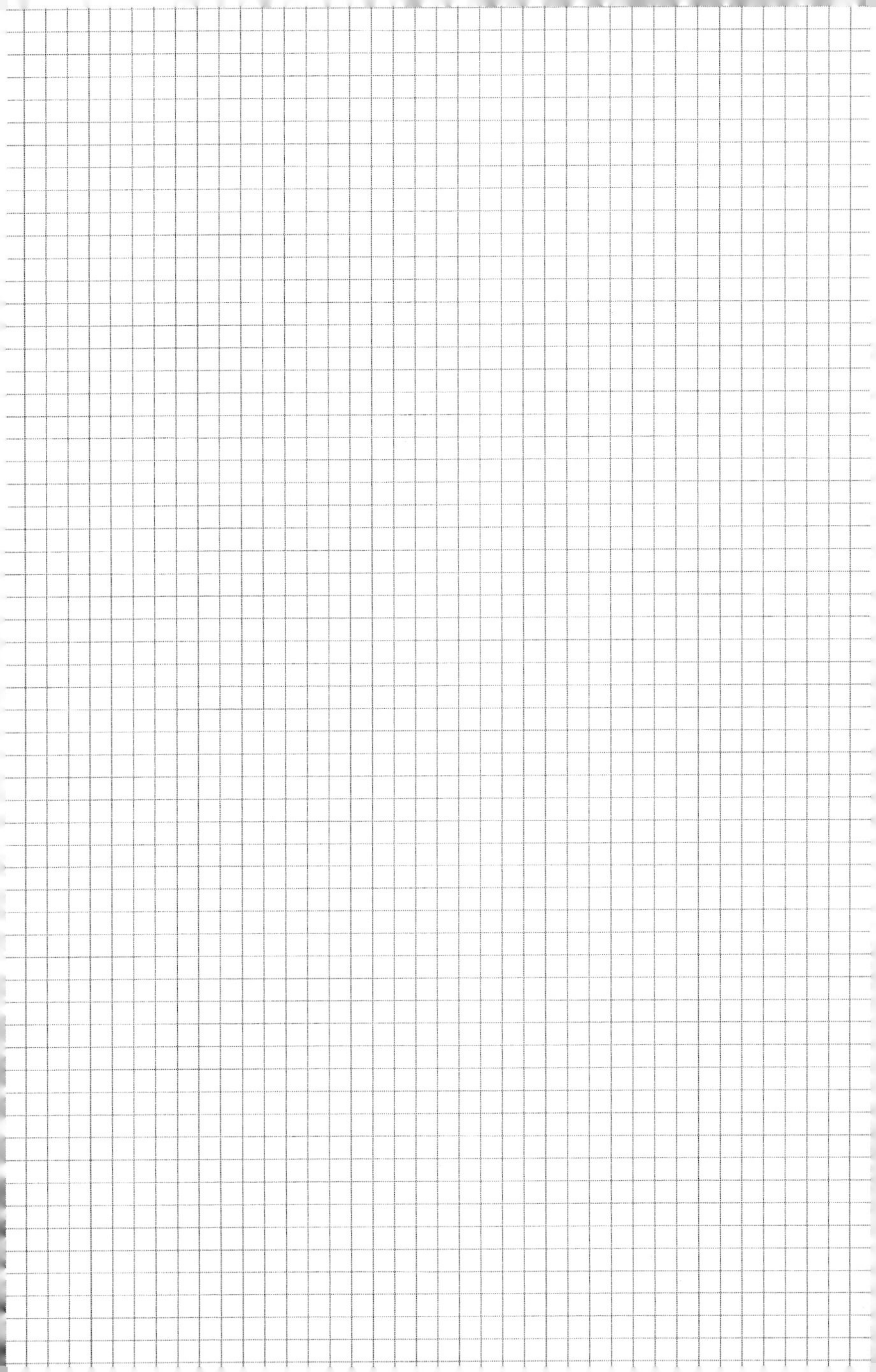

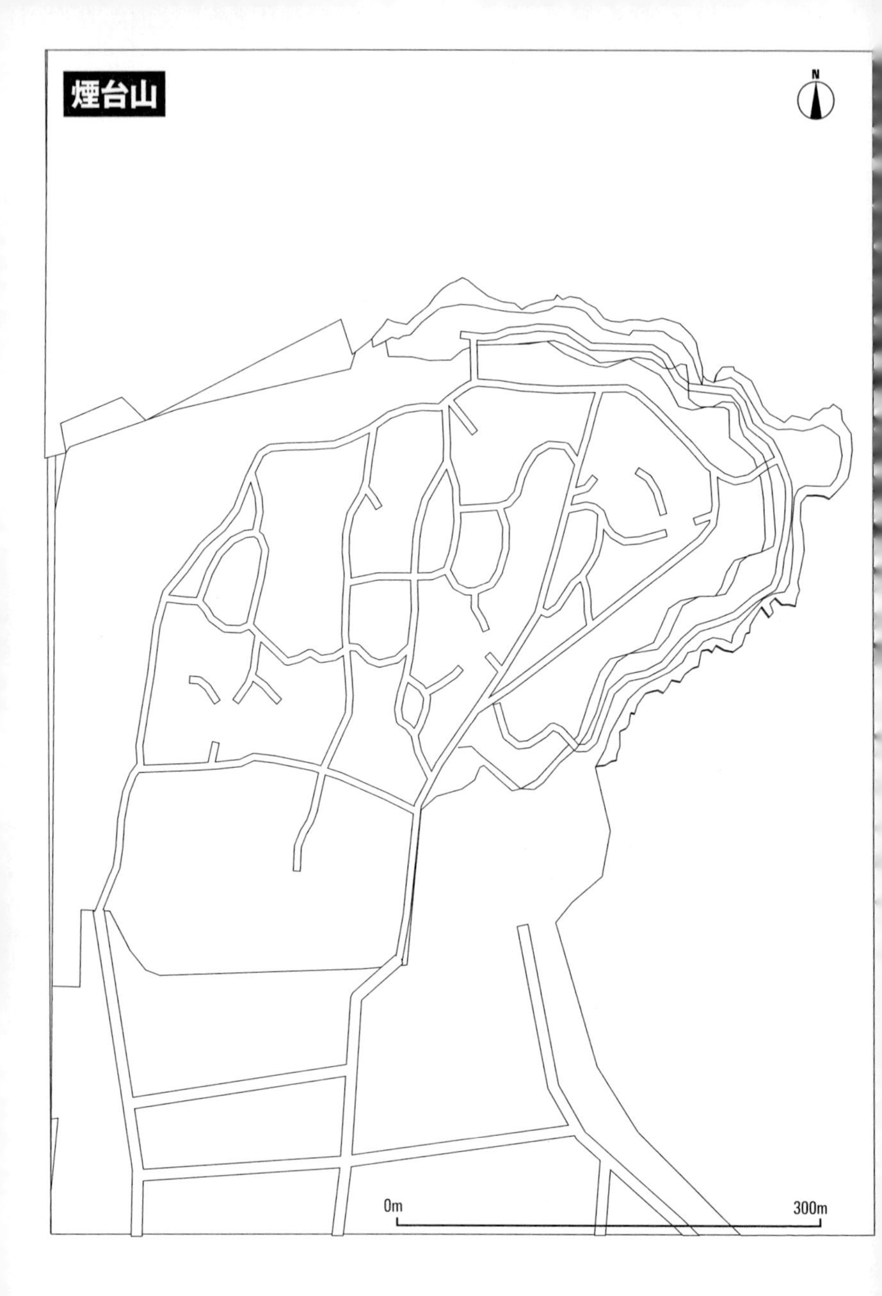
煙台山
N
0m
300m

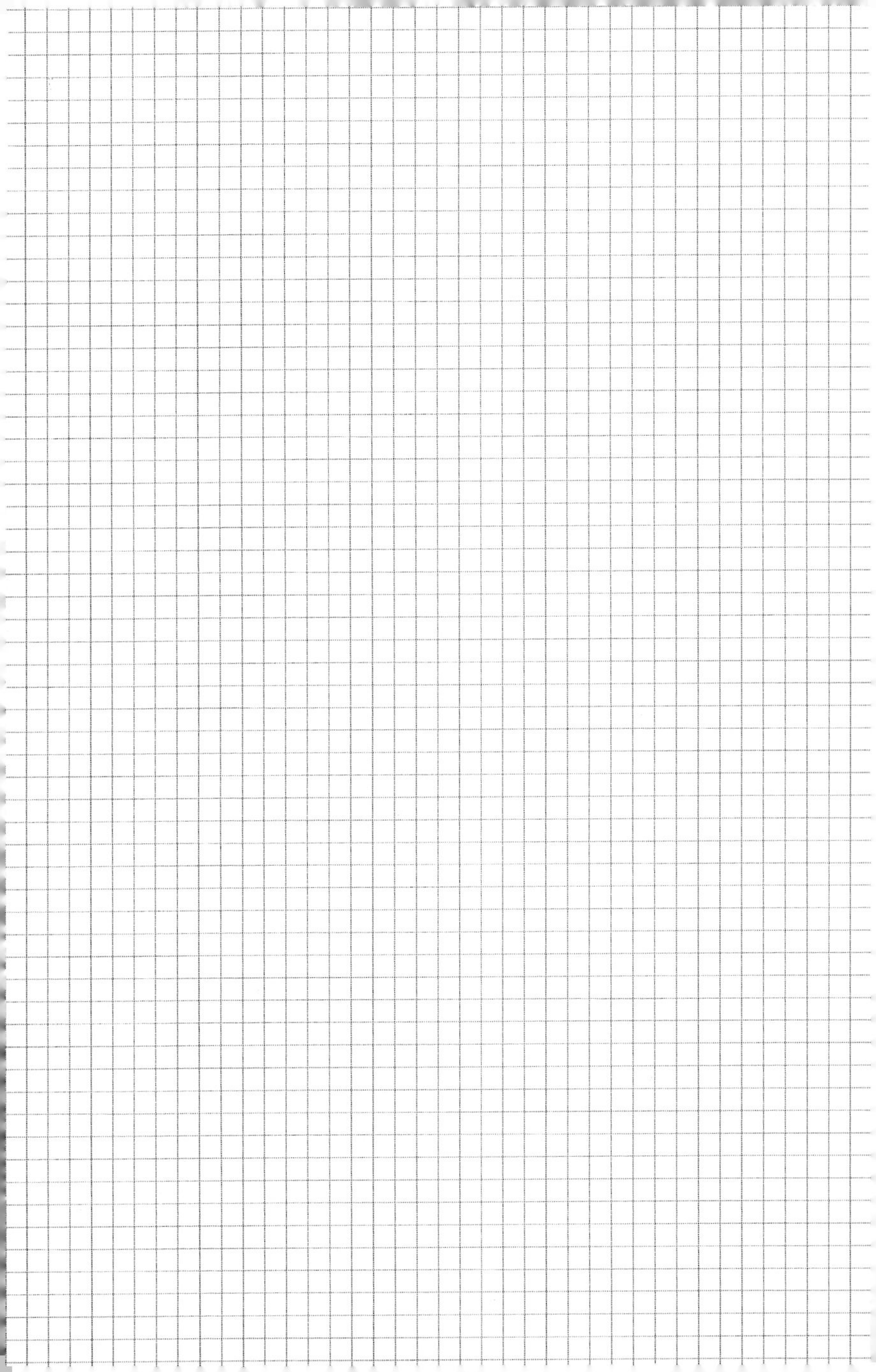

煙台埠頭
0km
1km
N

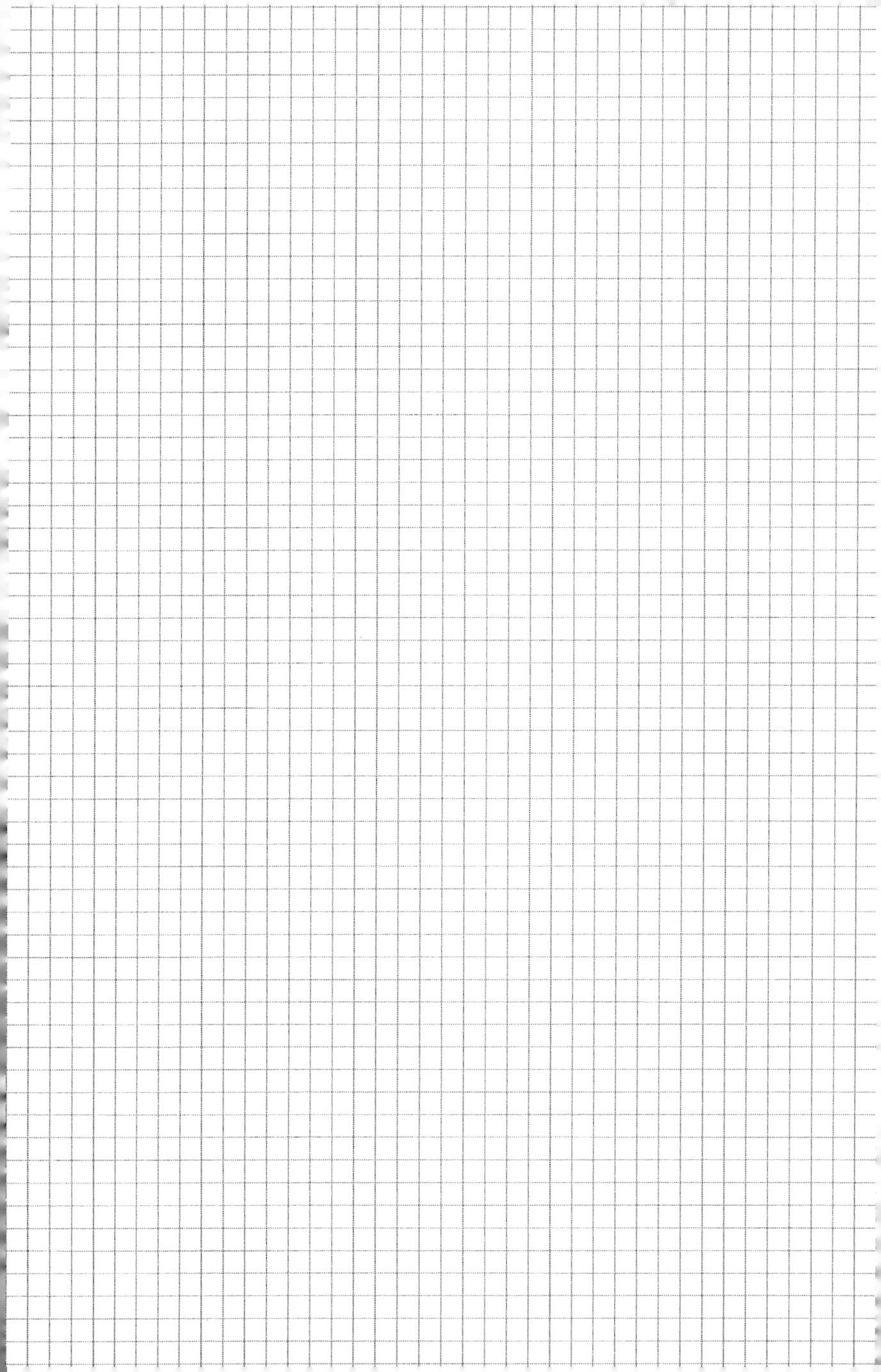

旧市街
N
0km
1km

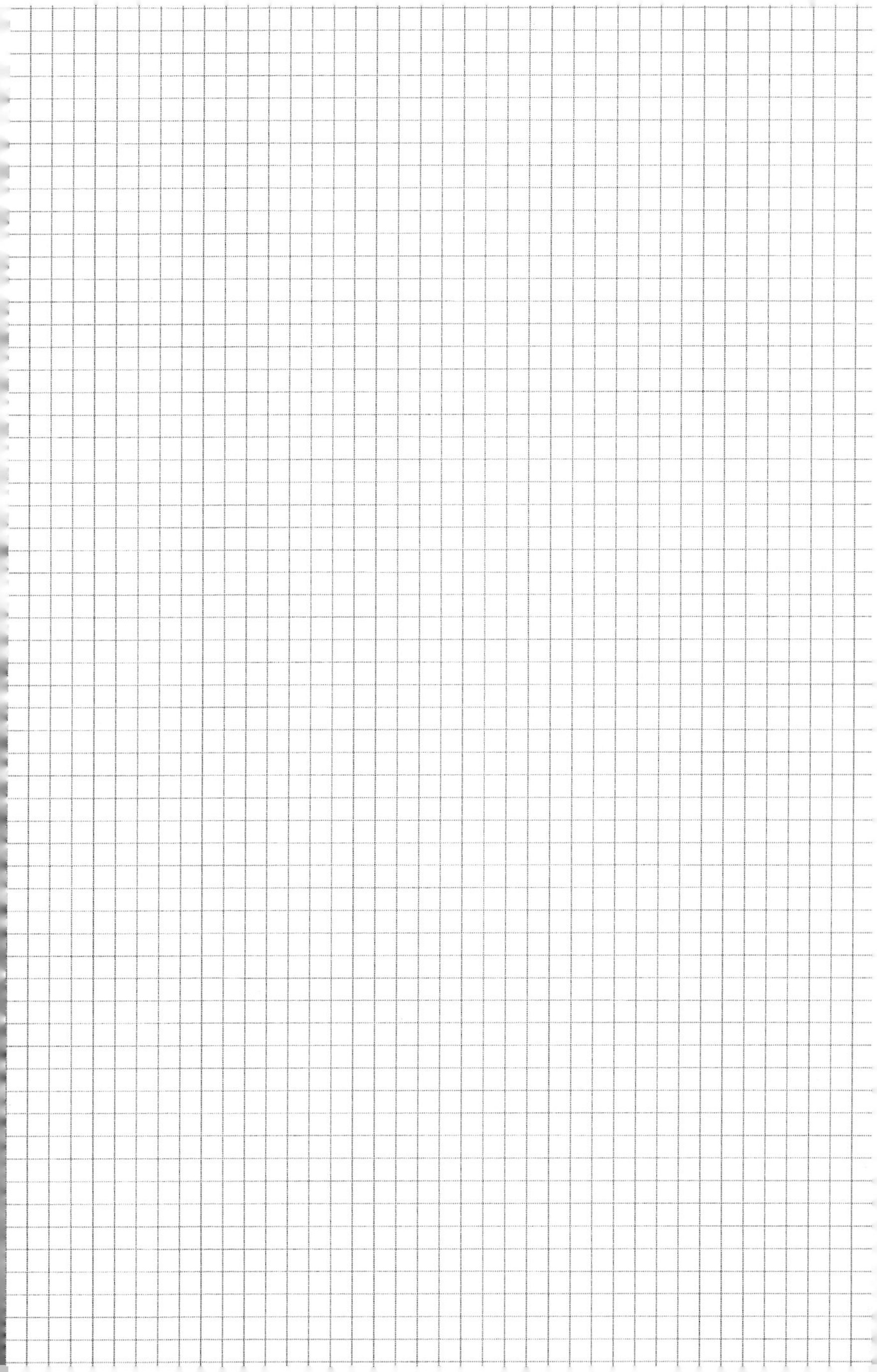

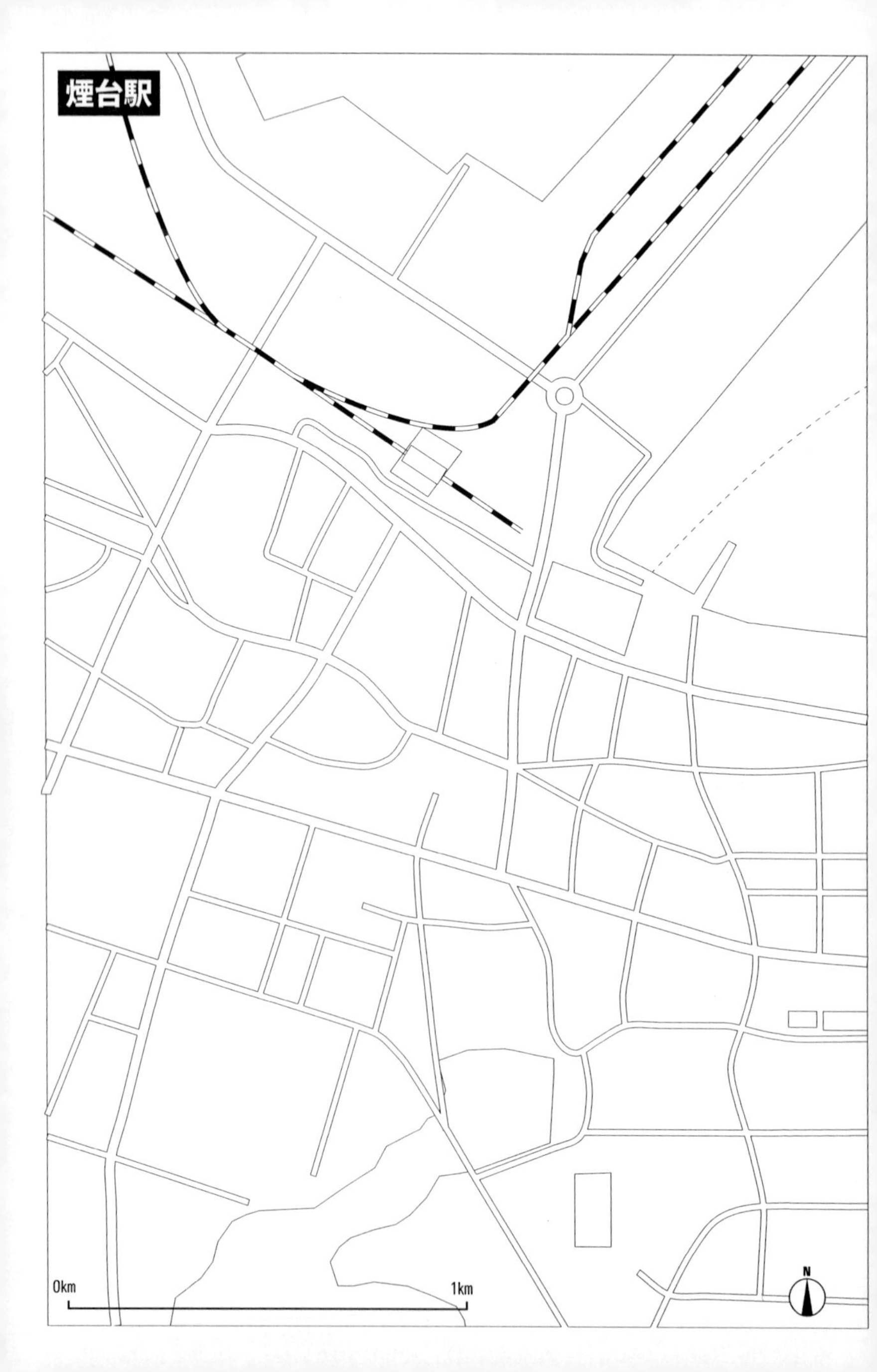
煙台駅
0km
1km
N

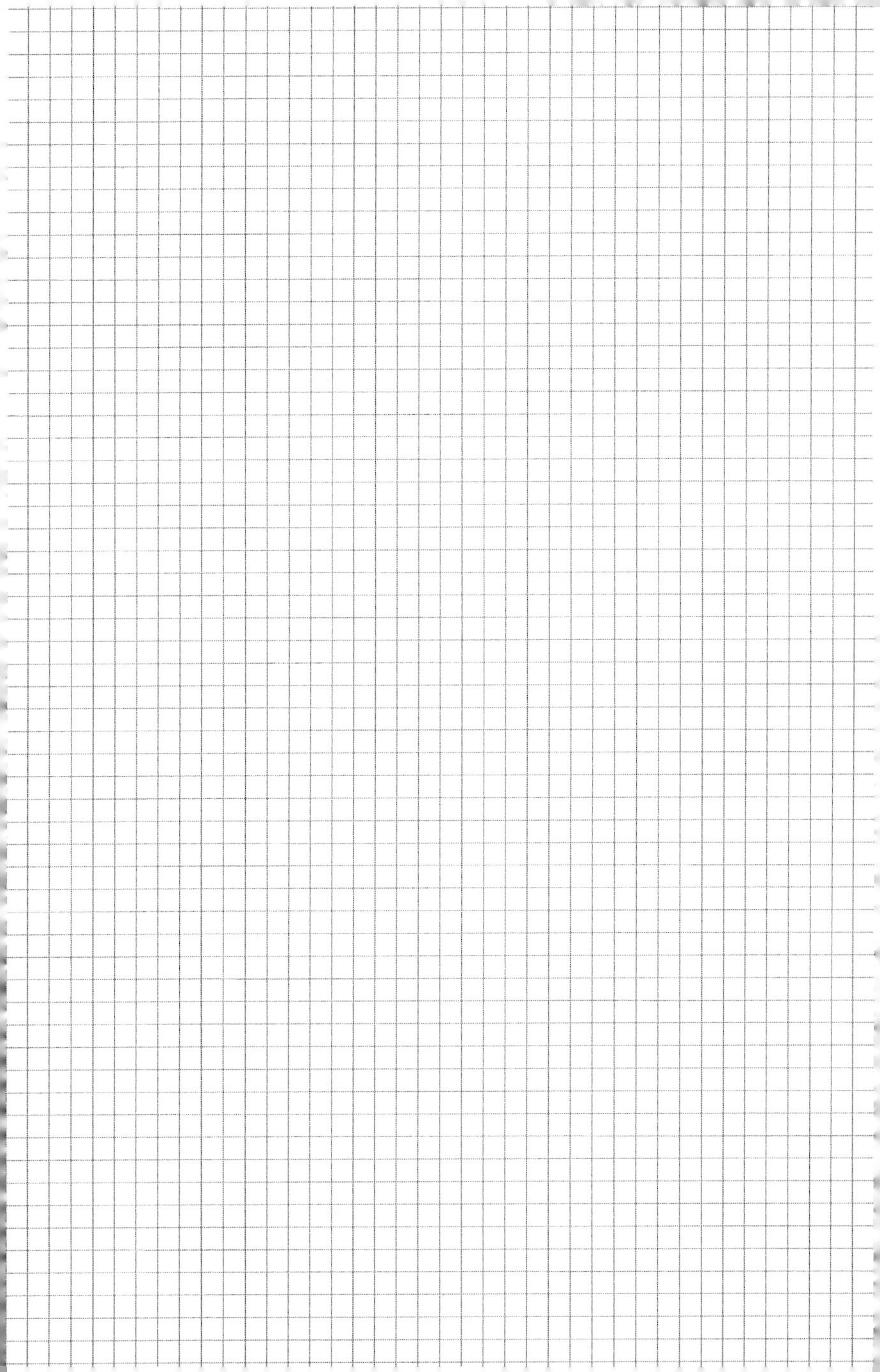

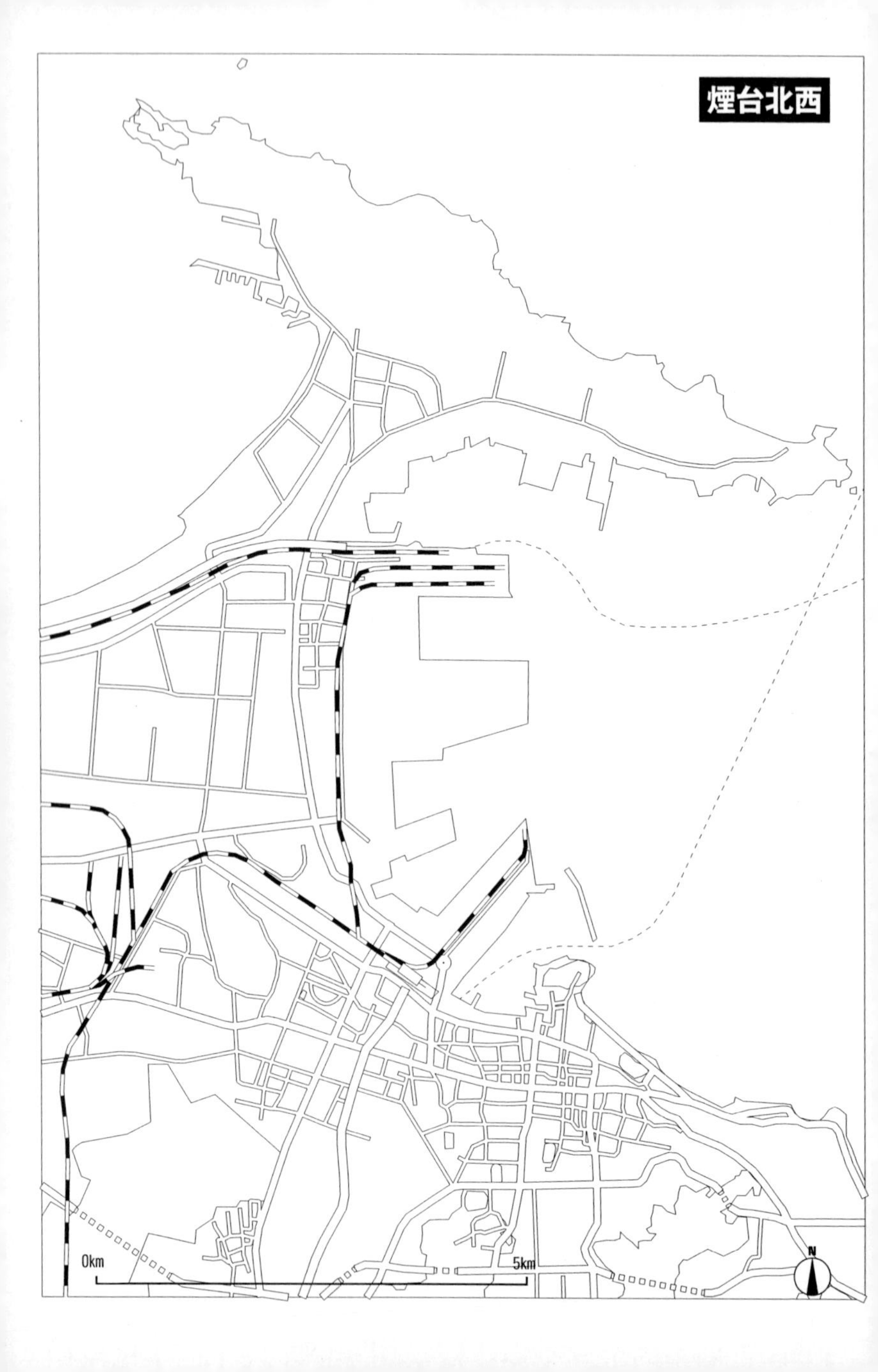

煙台北西
0km
5km
N

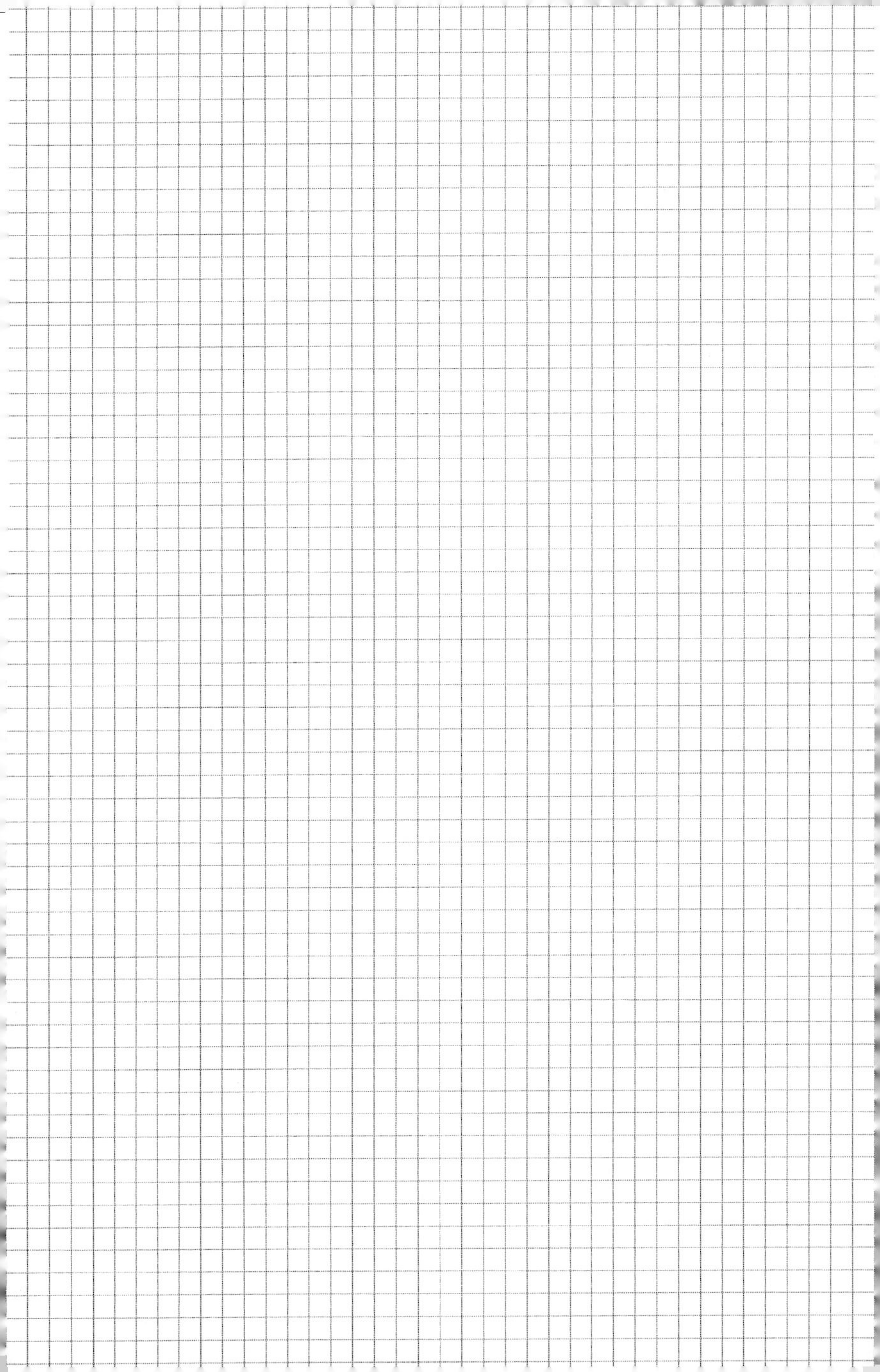

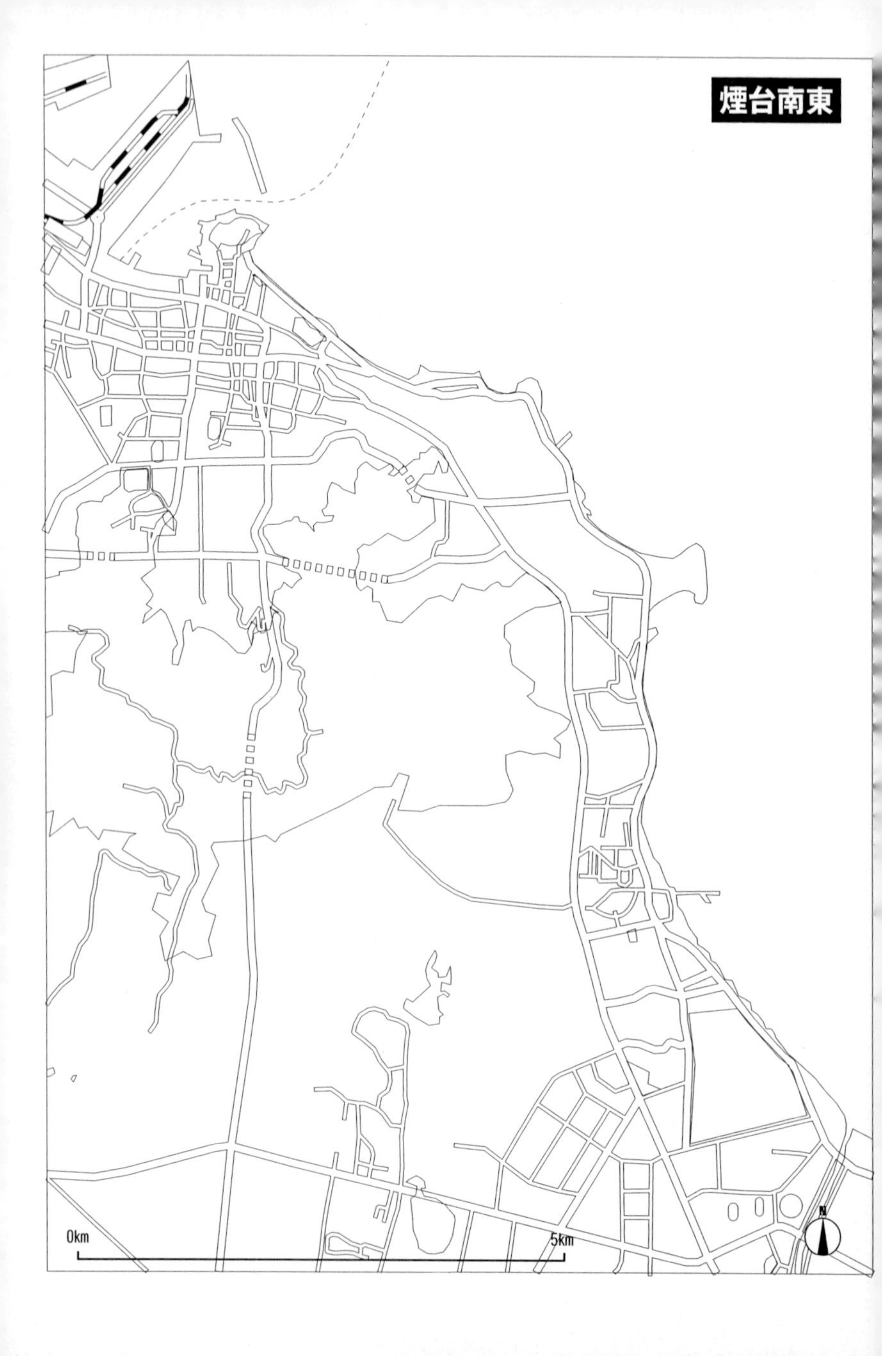

煙台南東
0km
5km
N

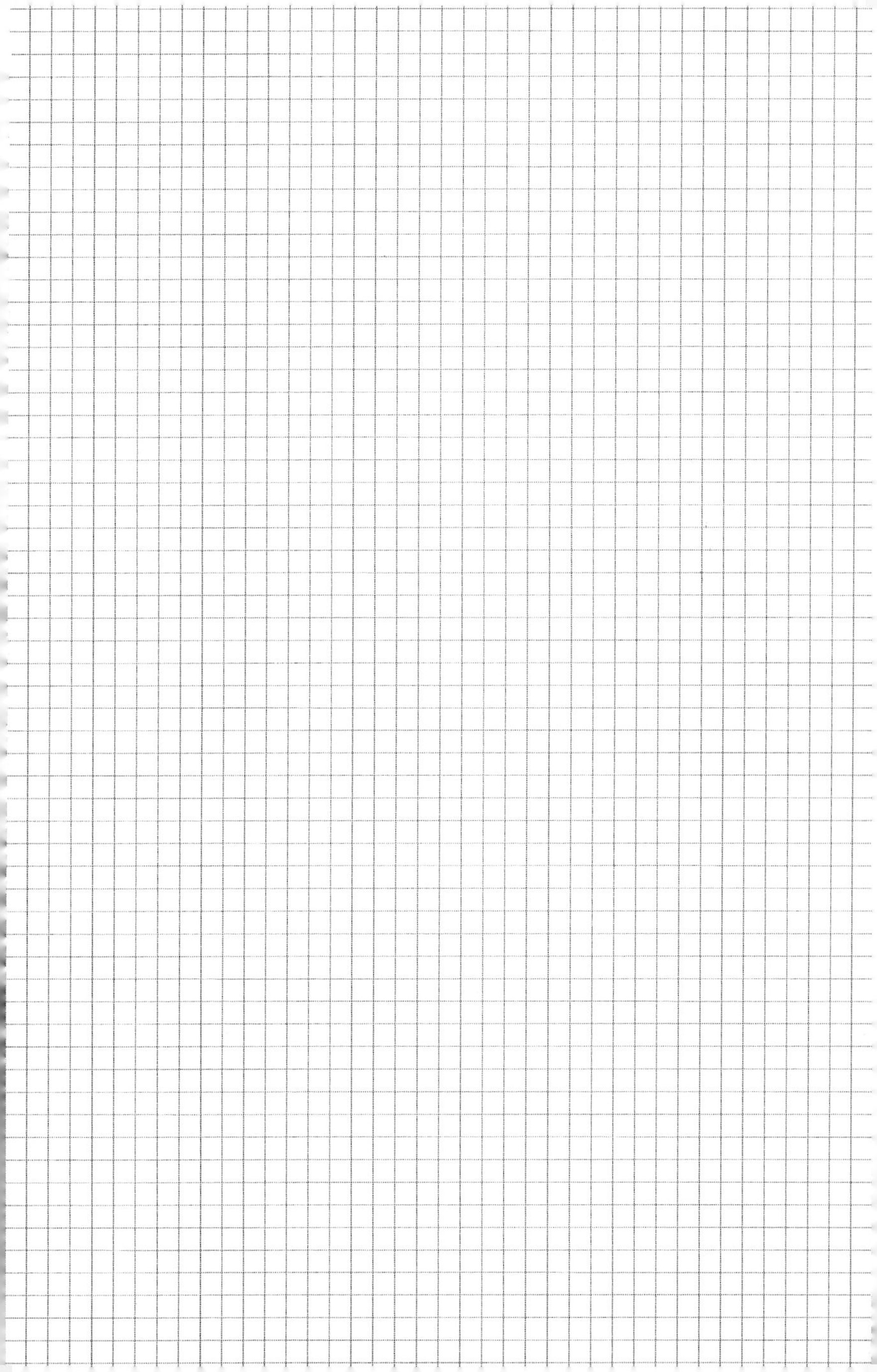

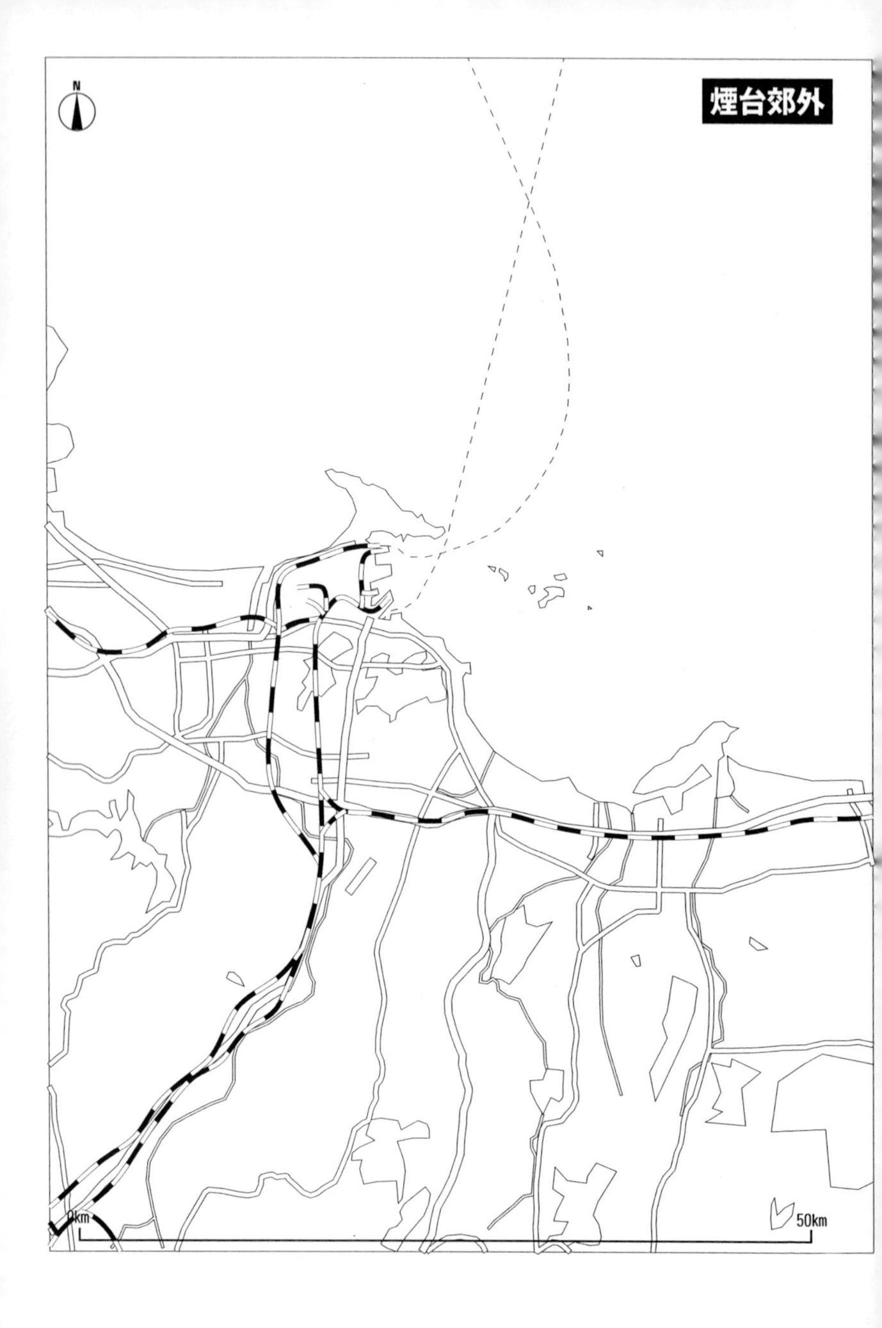

N
煙台郊外
0km
50km

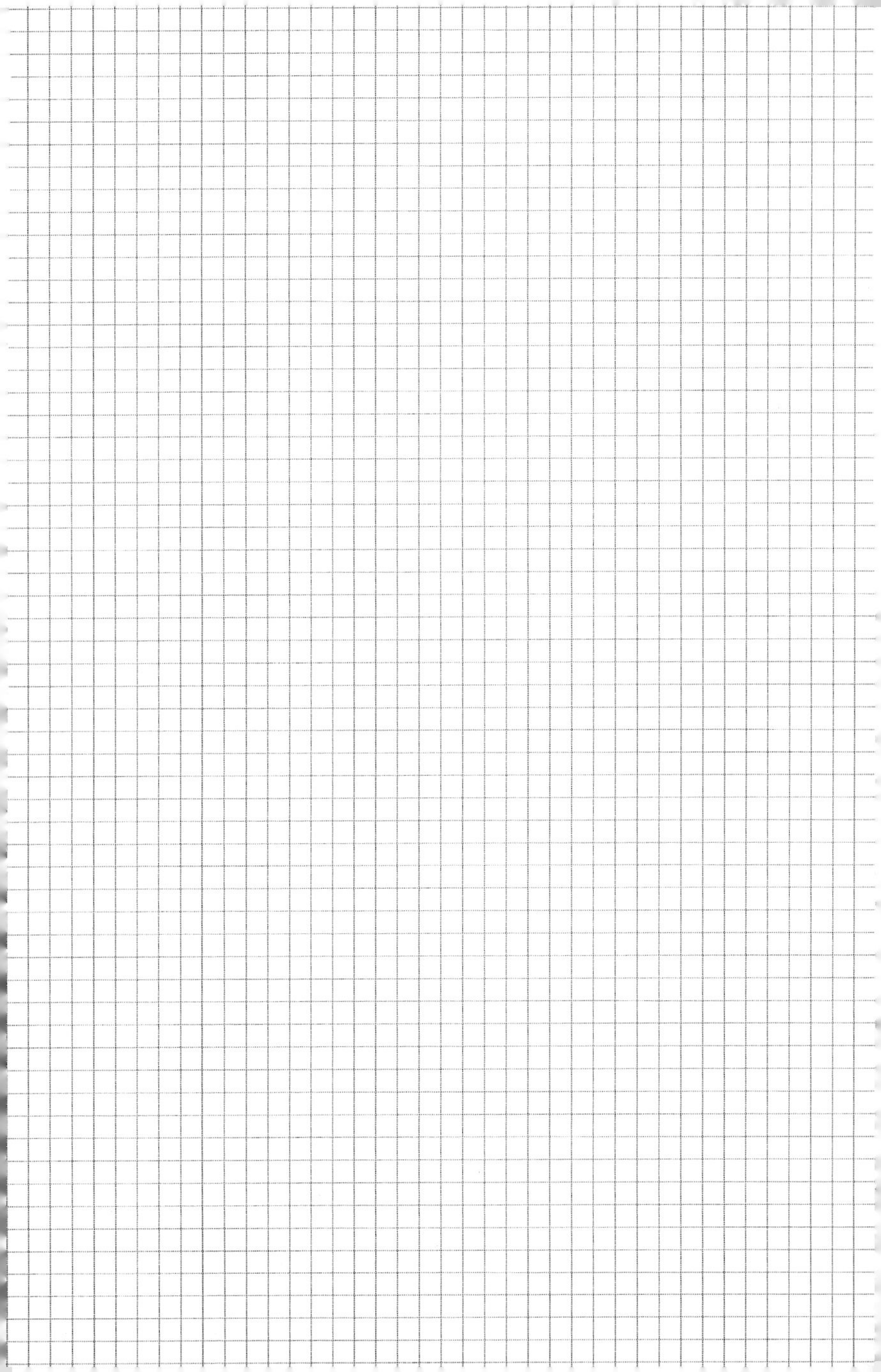

蓬莱
0km
3km
N

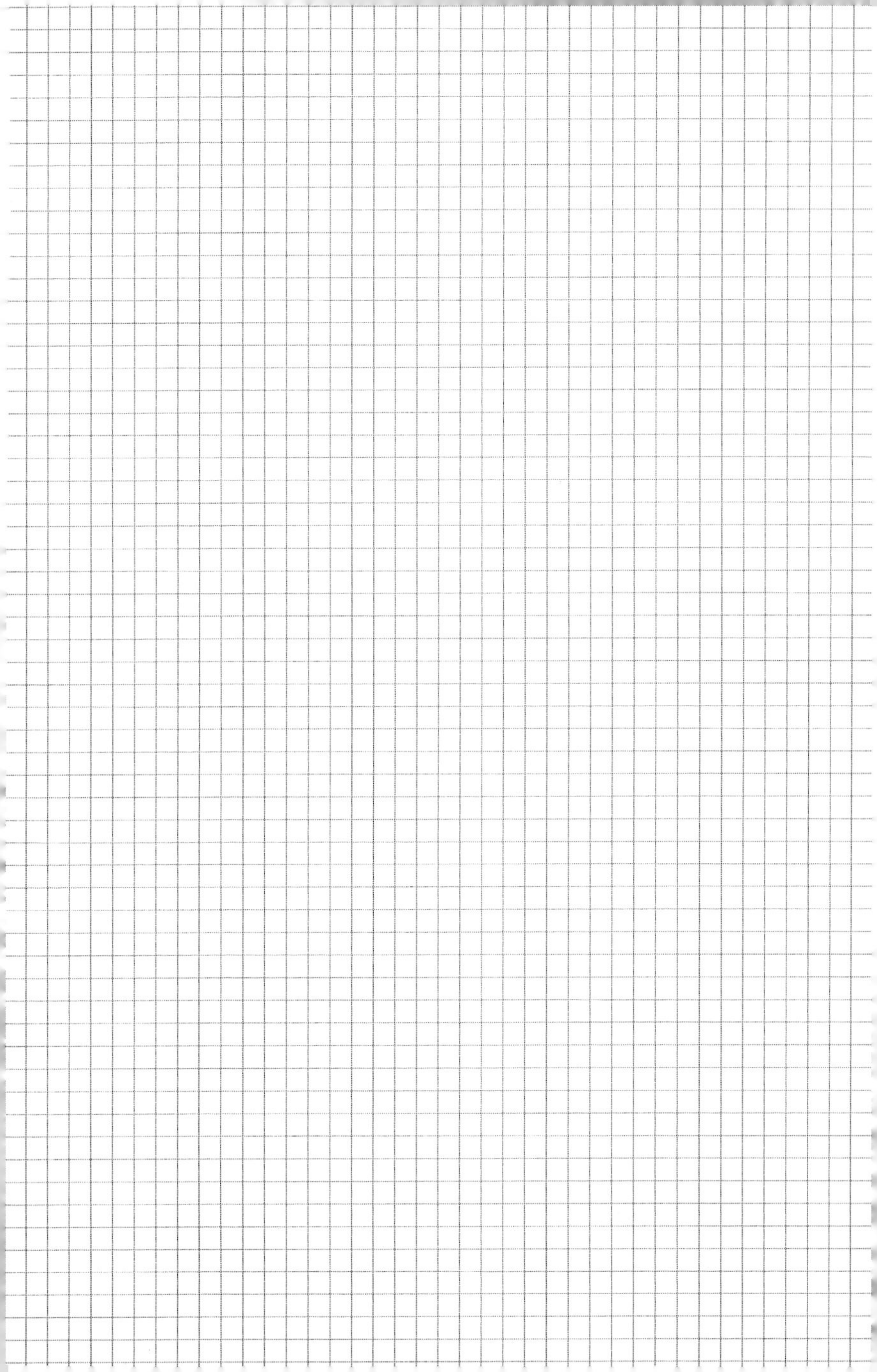

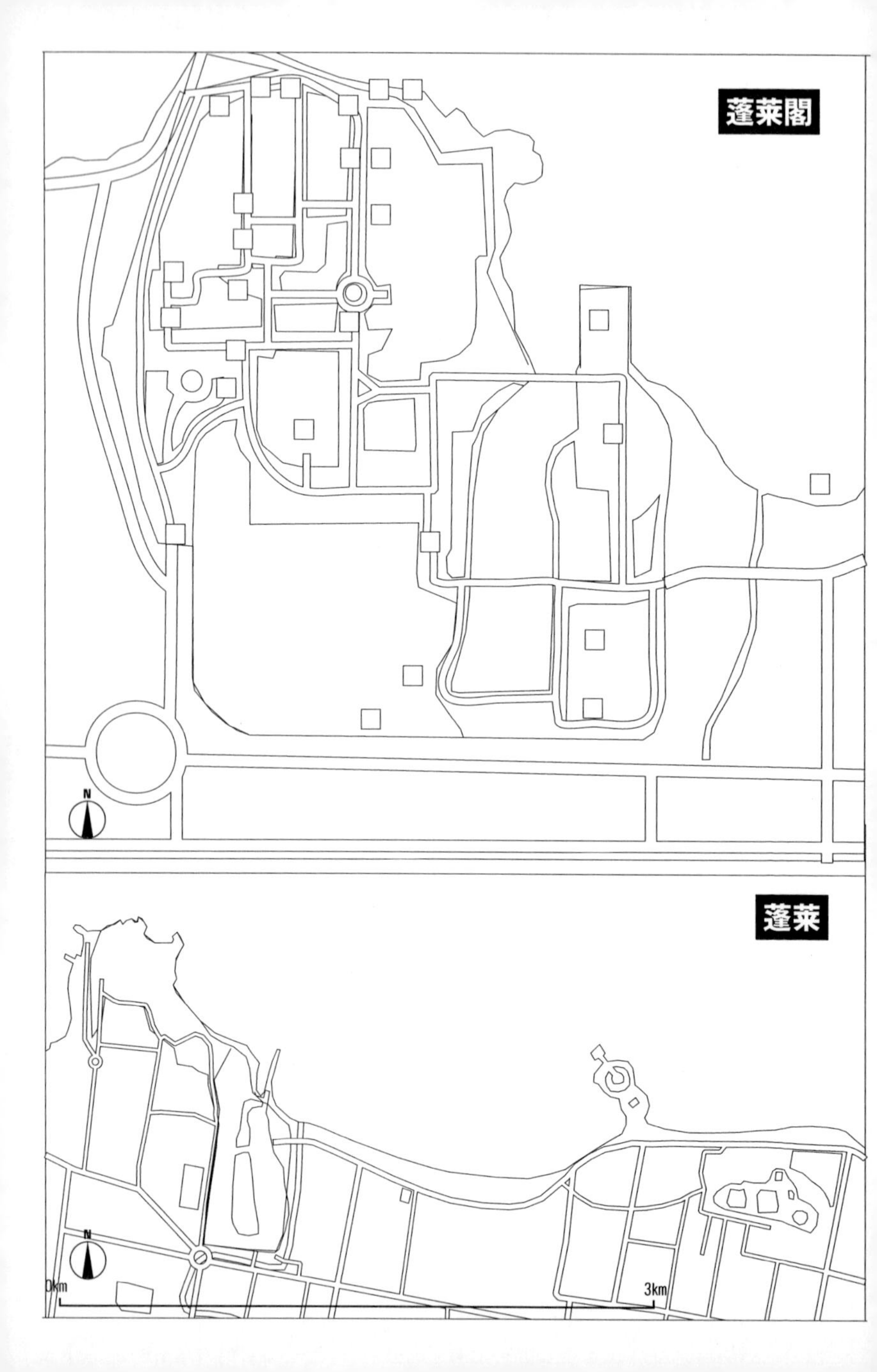
蓬萊閣
N
蓬萊
N
0km
3km

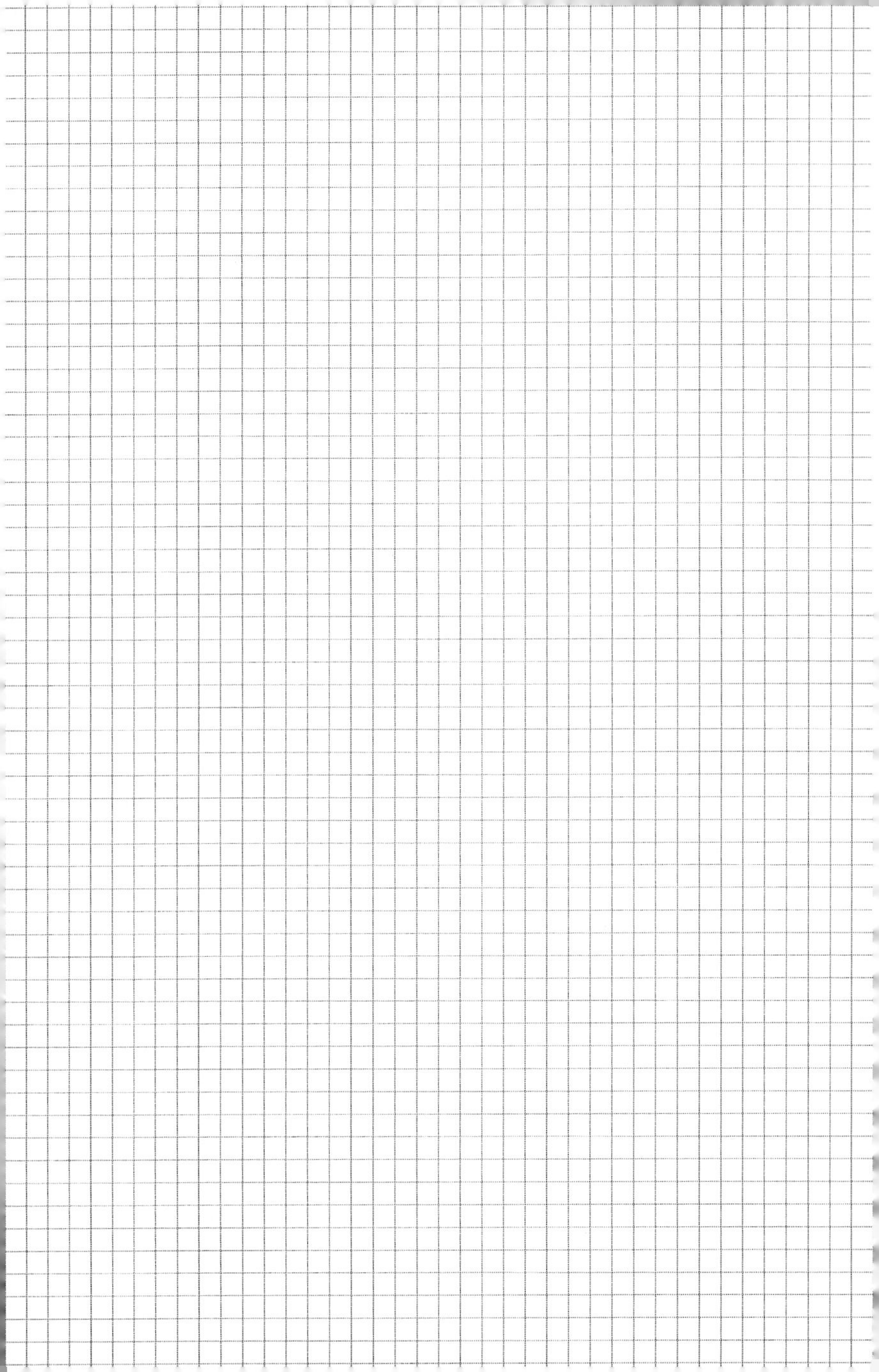

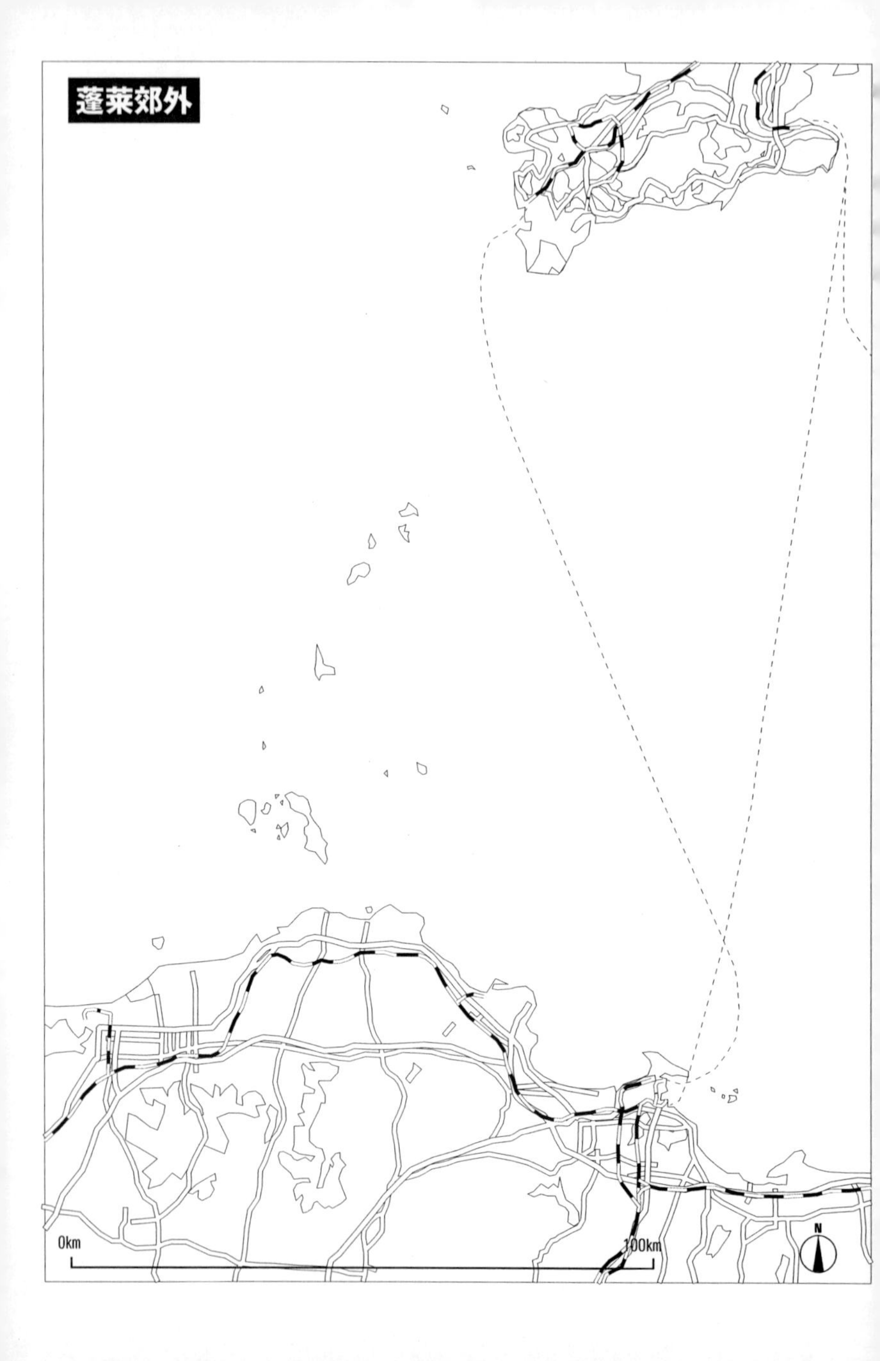
蓬莱郊外
0km
100km
N

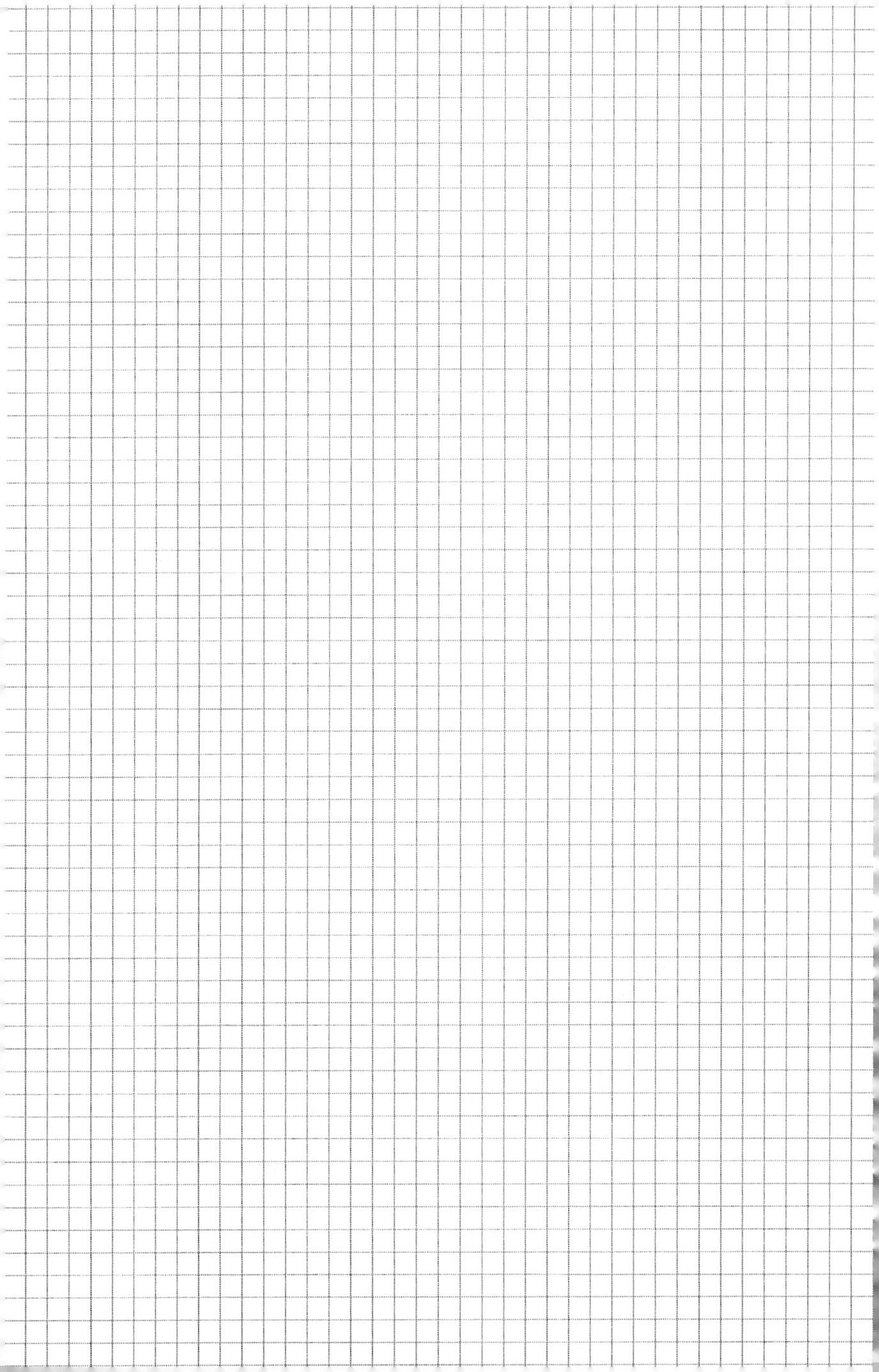

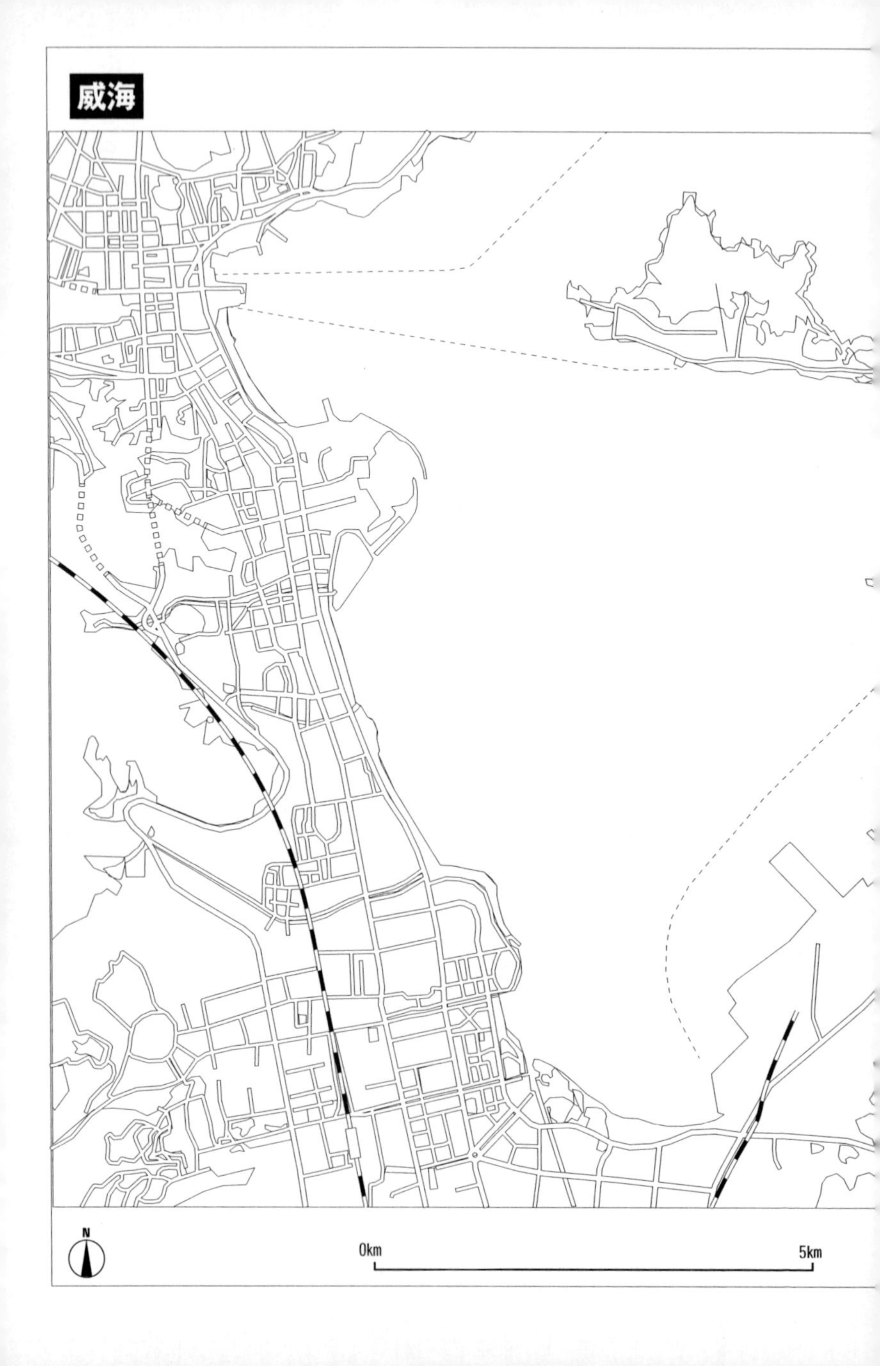
威海
N
0km
5km

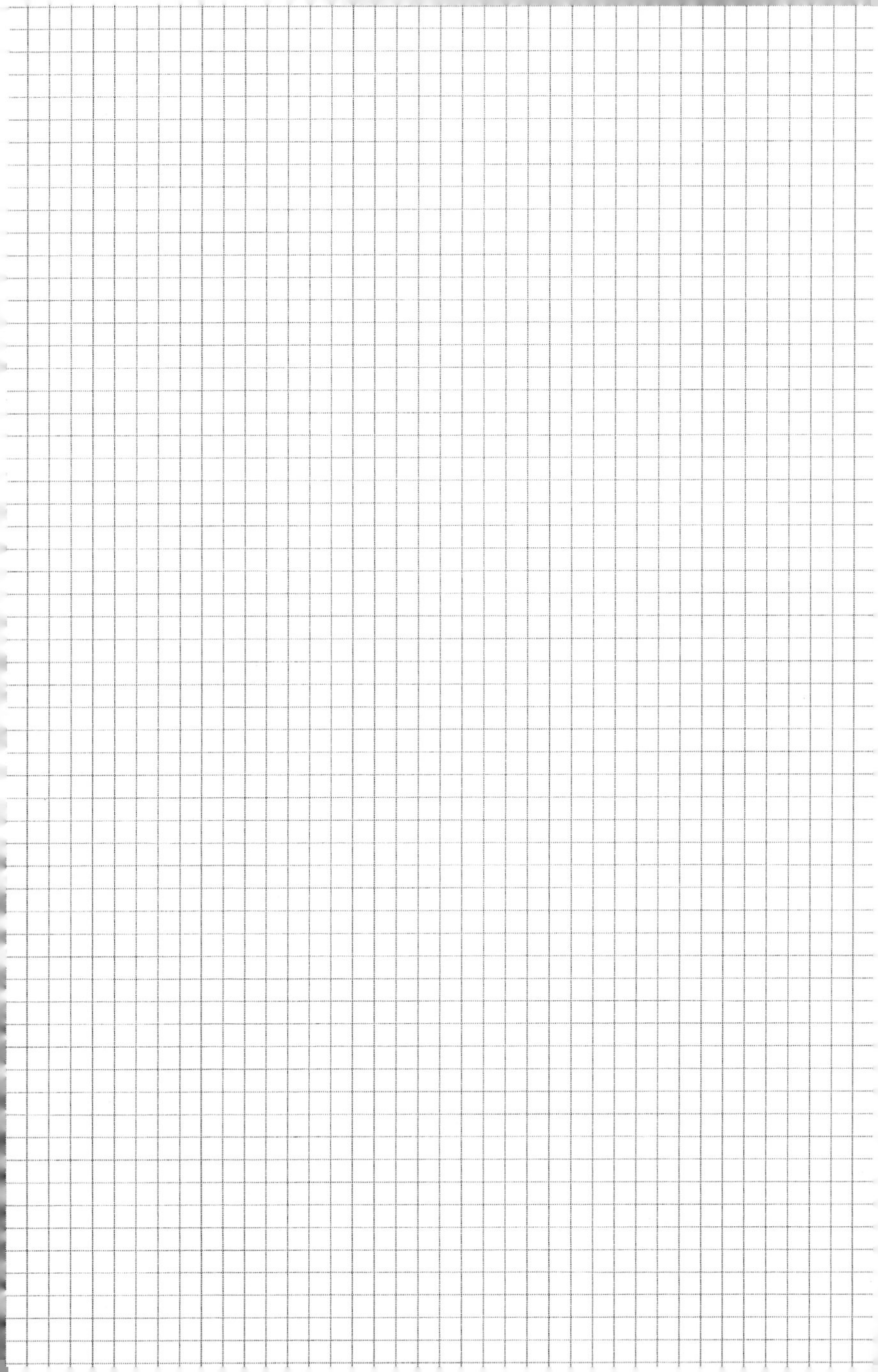

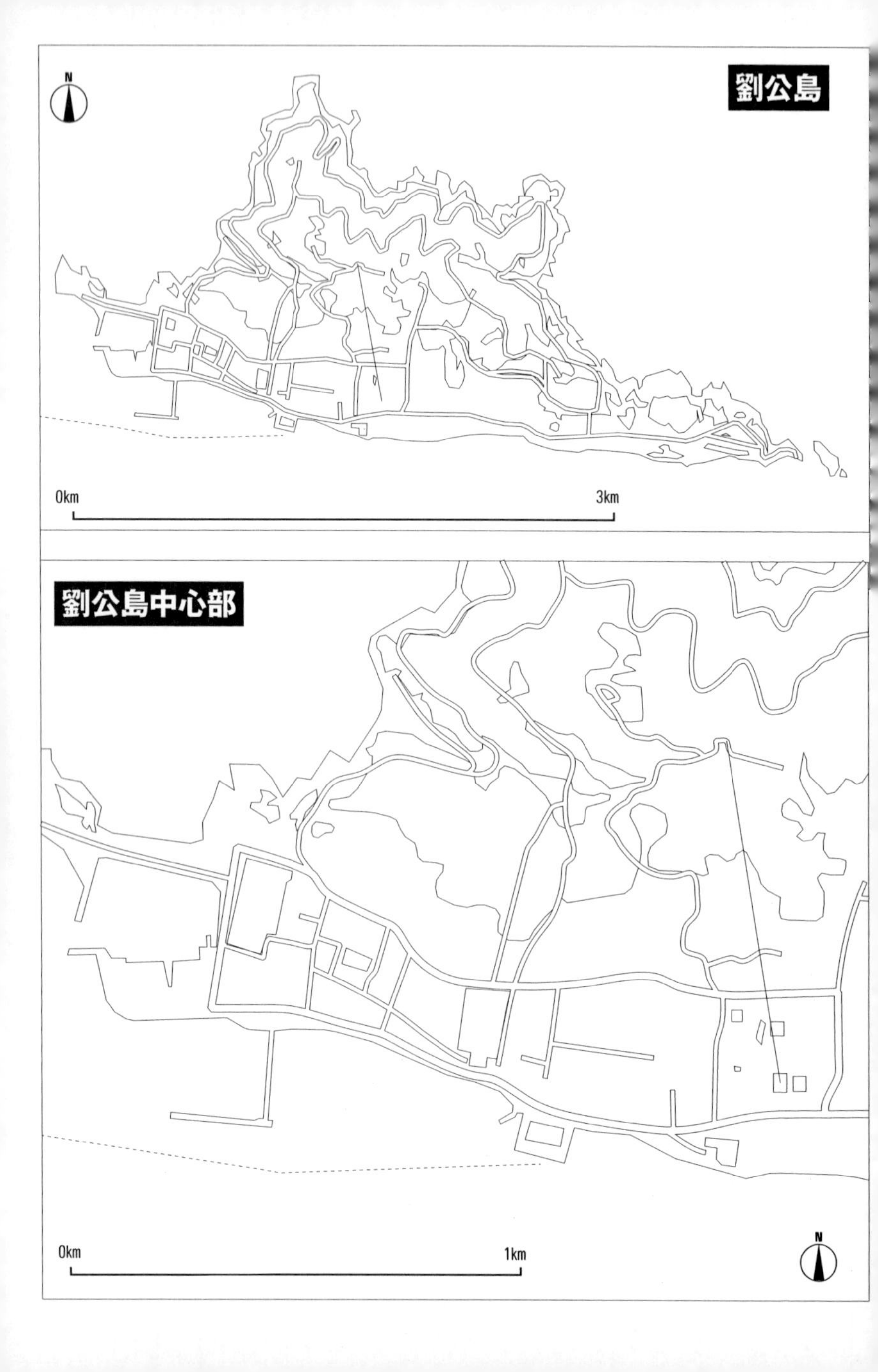
N
劉公島
0km
3km
劉公島中心部
0km
1km
N

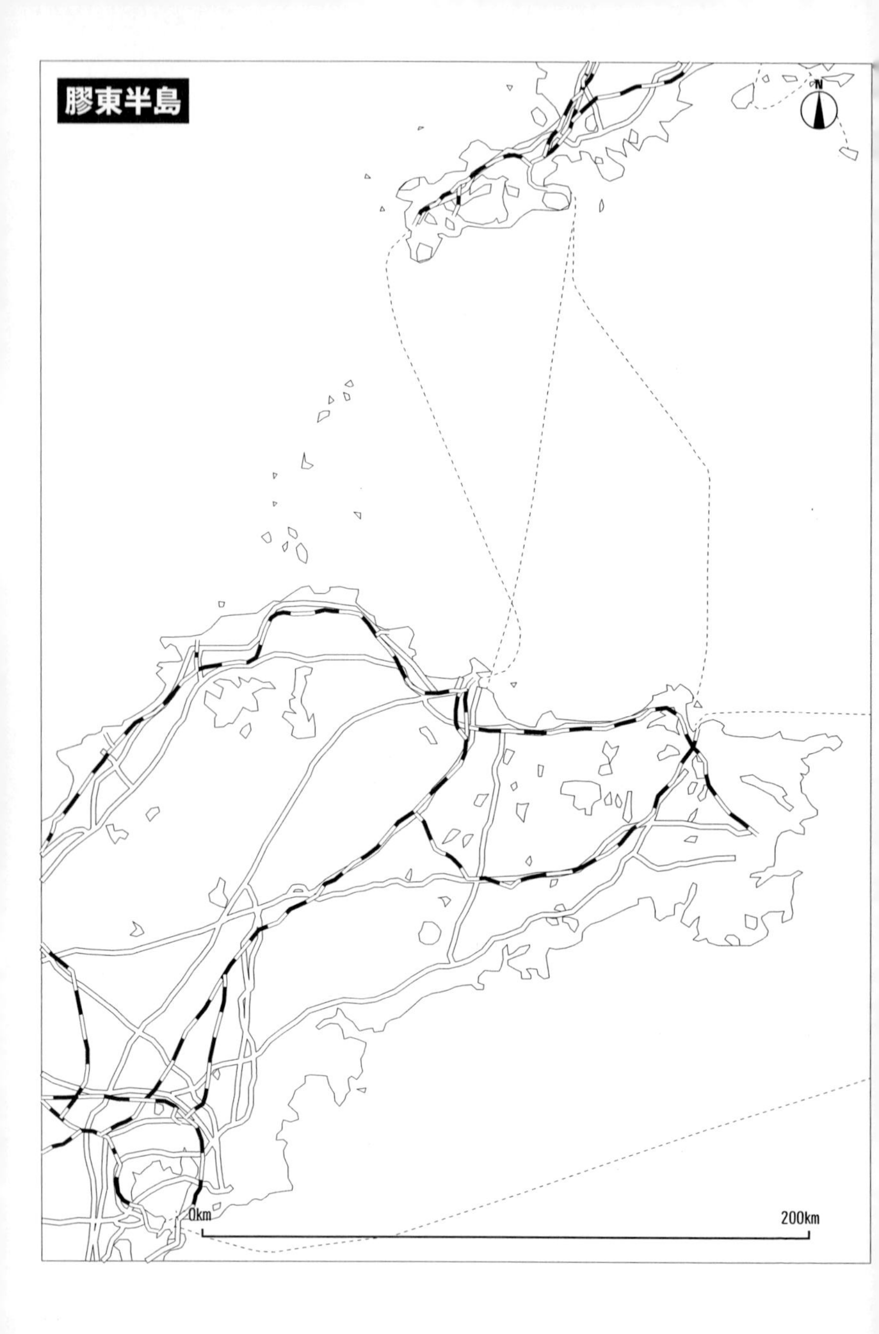

膠東半島
N
0km
200km

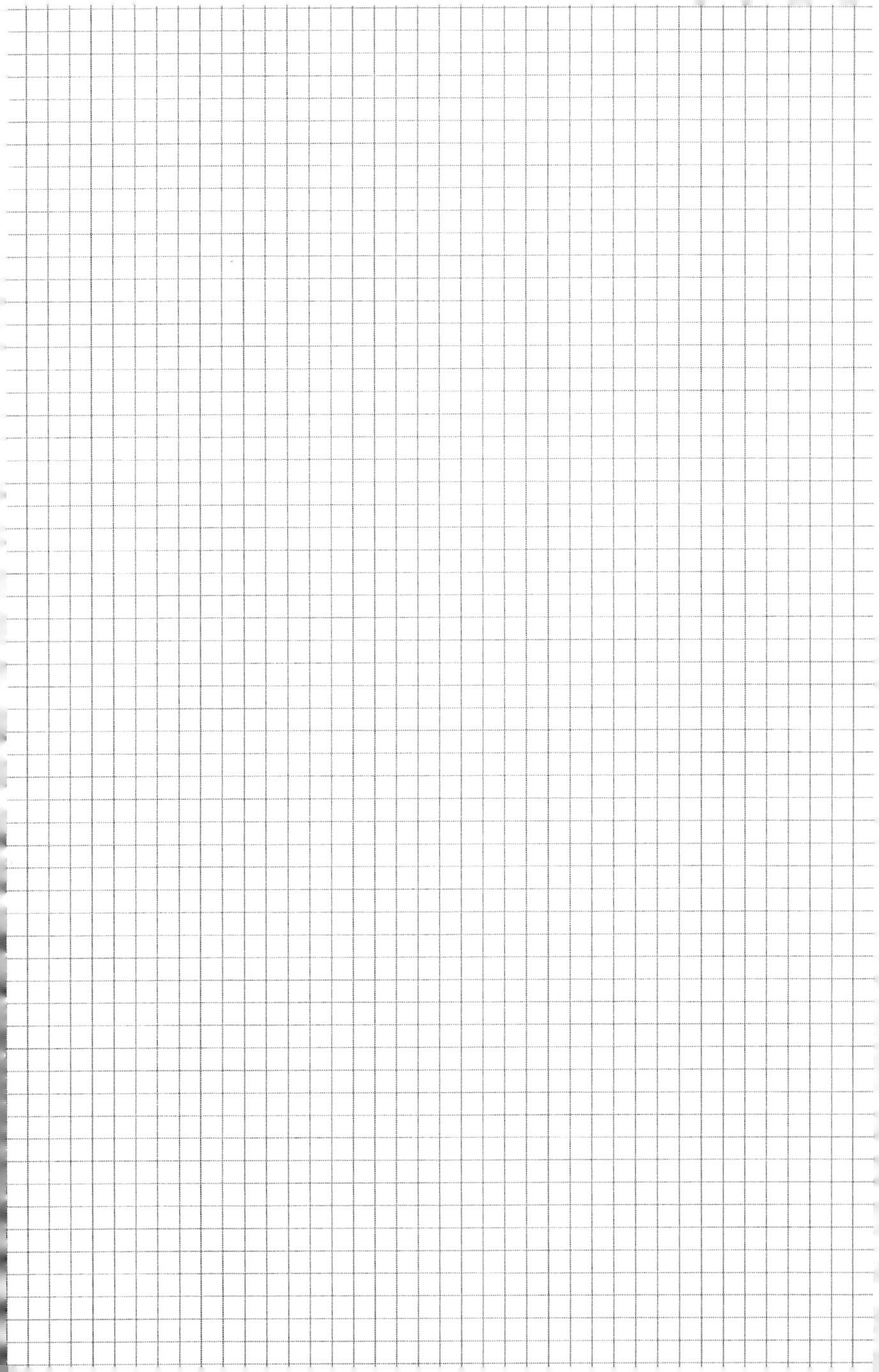

【車輪はつばさ】

南インドのアイラヴァテシュワラ寺院には
建築本体に車輪がついていて
寺院に乗った神さまが
人びとの想いを運ぶと言います

An amazing stone wheel of the Airavatesvara Temple
in the town of Darasuram, near Kumbakonam in the South India

まちごとチャイナ
山東省 005

煙台

ブドウ酒と「海市蜃楼」求めて

[モノクロノートブック版]

「アジア城市（まち）案内」制作委員会
まちごとパブリッシング
http://machigotopub.com

・本書はオンデマンド印刷で作成されています。
・本書の内容に関するご意見、お問い合わせは、発行元の
まちごとパブリッシング info@machigotopub.com までお願いします。

まちごとチャイナ
新版 山東省005煙台
～ブドウ酒と「海市蜃楼」求めて

2020年 8月15日　発行

著　者	「アジア城市（まち）案内」制作委員会
発行者	赤松　耕次
発行所	まちごとパブリッシング株式会社 〒181-0013　東京都三鷹市下連雀4-4-36 URL　http://www.machigotopub.com/
発売元	株式会社デジタルパブリッシングサービス 〒162-0812　東京都新宿区西五軒町11-13 清水ビル3F
印刷・製本	株式会社デジタルパブリッシングサービス URL　http://www.d-pub.co.jp/

MP244

ISBN978-4-86143-395-5 C0326　　Printed in Japan